C'est à toi!

Second Edition

Activities for Proficiency

EMC/Paradigm Publishing, Saint Paul, Minnesota

Credits

Senior Editor
Sarah Vaillancourt

Associate Editor
Diana Moen

Teacher's Notes
Diana Moen

Electronic Design and Production Specialist
Jennifer Wreisner

Many activities in this manual originally appeared in the publication *Idées pratiques pour la classe de français,* © Mary Glasgow Publications LTD, London.

ISBN 0-8219-3263-2

Published by EMC/Paradigm Publishing
875 Montreal Way
St. Paul, Minnesota 55102
800-328-1452
www.emcp.com
E-mail: educate@emcp.com

Printed in the United States of America
2 3 4 5 6 7 8 9 10 XXX 12 11 10 09 08 07 06

Table of Contents

v

Blackline Masters Unité 10

Blackline Masters Unité 11

Blackline Masters Unité 12

Introduction

The manual *Activities for Proficiency* contains reproducible blackline masters that can be used to create activities that will enhance students' proficiency in French. These supplemental activities correspond to the content of the units in the *C'est à toi!* textbook. The section Suggestions for Use provides ideas on how you might use the blackline masters to create activities that are stimulating and fun for your students.

The five "Cs" addressed in *Standards for Foreign Language Learning: Preparing for the 21st Century* are reflected in *Activities for Proficiency*. The activities proposed in Suggestions for Use facilitate **communication** with others, foster an understanding of the **cultures** of francophone countries, provide **connections** to other disciplines, allow for **comparisons** to be made between French and English and provide opportunities for students to participate in multilingual **communities** at home and abroad.

Many of the activities listed in the section Suggestions for Use develop **communicative** proficiency. Students may be asked to role-play, play a game or answer specific questions. Using Blackline Master 23, students can play the roles of a server and a customer who orders from an authentic Quick fast-food menu. Blackline Master 50 has illustrations of animals that can be used to play a card game in which students ask a group member for the card of another animal to get a matching pair. With Blackline Master 25 students can make a clock with movable hands and practice asking and answering the question "Quelle heure est-il?" In addition to developing oral proficiency, some of the activities help students practice writing in French. Students may be asked to write original sentences (Blackline Masters 86, 113) or even a story (Blackline Master 128).

Blackline masters that use authentic realia open a window on francophone **cultures**. Students can use Blackline Master 34 to cut out euro coins and bills that can be used in their role-plays at a café. They can analyze the amenities of a hotel in Guadeloupe and choose which water sports they would like to participate in there (Blackline Master 52). By looking at Blackline Master 51 students can find out what activities are offered for tourists and residents in Martinique. Students can fill out an order form from La Redoute catalogue (Blackline Master 79) and find out where to go to find certain items at Printemps in Paris (Blackline Master 80).

The blackline masters encourage students to make **connections** to other subject areas, such as geography and cooking. Maps of the world, Europe, Switzerland and **le Maghreb** acquaint students with French-speaking areas around the globe (Blackline Masters 123, 117, 111, 105). Students can read authentic French recipes (Blackline Masters 28, 91, 92) to prepare a shopping list or actually cook a French dish for their class or family.

When students make **comparisons** between French and English, they understand how the languages are similar and dissimilar. You may want to use Blackline Master 14 to show the similarities between French and English words. These cognates can be found throughout the *C'est à toi!* textbook. Looking at this list early in the school year, students will be reassured that there is a lot of French vocabulary that will be easy for them to learn.

The blackline masters encourage students to participate in multilingual **communities** in their classroom and abroad, often using technology. After looking at the teen profiles in Blackline Master 22, students may want to correspond with a French-speaking teen. In the section Suggestions for Use there is a Web address that students can access to find a French-speaking pen pal with whom they can develop a beneficial rapport. Students will find it interesting to discuss the opinions, preferences and experiences of teens in countries such as France, Switzerland, Haiti, Senegal and Algeria.

You will find that there are multiple uses for the blackline masters in *Activities for Proficiency*. However you decide to use them, students will benefit from these standards-based activities and become more enthusiastic French speakers while increasing their proficiency in the language.

C'est à toi!
Level One
©EMC

Activities for Proficiency

Introduction

vii

Suggestions for Use
Unité 1

Blackline Master 1: *Prénoms de filles*
Girls interested in choosing a French name can refer to this list which contains the same names listed on page six of the textbook plus additional names.

Blackline Master 2: *Prénoms de garçons*
Boys interested in choosing a French name can refer to this list which contains the same names listed on page six of the textbook plus additional names.

Blackline Master 3: *Noms de famille*
Students can use this list of French surnames to name characters in dialogues and stories.

Blackline Master 4: *Annuaire québécois*
Have students practice numbers by asking them **Quel est le numéro de téléphone de…?** In Quebec, as in the United States, phone numbers are given digit by digit, for example, **sept, deux, neuf – six, quatre, un, deux**.

Blackline Master 5: *Problèmes de maths*
Have students write out the answers to these math problems in words or give the answers orally. This activity practices the numbers from one to 20.

Blackline Master 6: *Loto*
Have students fill in each square with a number from one to 20 in any order. You or a designated student then calls out randomly numbers from one to 20 in French. As students hear each number, they mark the corresponding space. The winner is the first person to complete a horizontal line.

Blackline Master 7: *Alphabet*
Have students cut out all the letters and place them on their desk. Then decide on a word you want students to practice, such as **salut**. Call out all the letters of the alphabet except the letters **s, a, l, u** and **t**. Students put the letters you call out into a discard pile. The first student to make a word from the remaining letters is the winner.

Blackline Master 8: *Accents*
Have students make a list of French words that use the accented letters.

Blackline Master 9: *Salut! Ça va?*
Students can practice the functions of greeting and leaving someone by filling in the speech bubbles with appropriate expressions from **Unité 1**.

Blackline Master 10: *Information personnelle*
Have students write personal information on this sheet.

Blackline Master 11: *Symboles pour les activités en classe*
Make an overhead transparency of this sheet. Each time you introduce one of these activities, point to the symbol for the activity and give the command in French, for example, **Travaillez avec un partenaire**.

Blackline Master 12: *Comment dit-on…?*
Have students use this sheet to review vocabulary from the unit. Student A writes down an expression for which his or her partner should know the French equivalent, such as "hello." Then Student B writes down the appropriate French expression, such as **bonjour**. Finally, Student A checks Student B's work. Have students switch roles halfway through this review activity.

Blackline Master 13: *Badges*
Have students select a button, color it and affix it to their clothing with tape or a pin. You may want to use these buttons during National French Week or National Foreign Language Week.

Unité 2

Blackline Master 14: *Mots apparentés*
Have students guess the meanings of these cognates.

Blackline Master 15: *Pariscope—tous les films de la semaine*
Have students make categories for the different film genres on a sheet of paper and then put the listed films under the appropriate heading. You might conduct a poll to see how many students have viewed certain films.

Blackline Master 16: *Jeu aux dés*
Have students working in small groups prepare two dice, one with the pronouns **je, tu, il, nous, vous** and **ils**, the other with **–er** verbs such as **jouer, écouter, étudier, regarder, aimer** and **arriver**. Students in each group take turns throwing the dice and conjugating the verbs. For example, if a student throws **tu** and **regarder**, he or she says **Tu regardes**.

Blackline Master 17: Tic Tac Toe
Working in pairs, students write in the nine subject pronouns at random on the squares of the board. At the top of the board they write the infinitive of an **–er** verb they know. When they select a square to mark with an X or an 0, they conjugate the verb. If a student makes a mistake, his or her opponent can correct the mistake, steal the square and proceed with his or her regular turn.

Blackline Master 18: *Musique*
Ask students questions about this music realia, for example, "Who plays the drums in the Oscar Peterson Quartet? What concert would you attend to hear classical music? What are the dates of the Festival-de-Marne?"

Blackline Master 19: *Sports*
Have students use these illustrations of sports as flashcards or to play bingo. To play Concentration, have students use another sheet of paper and make squares that each contain the name of one of these sports. Then have students cut out the squares of illustrations and the squares of words. Students mix up the squares and place them face down. When an illustration and a description match, the player sets the pair aside. The player with the most matching pairs wins.

Blackline Master 20: *Verbes de l'Unité 2*
Use each illustration as your visual cue for the expressions **nager, jouer au basket, jouer au foot, faire du roller, faire du footing, faire du vélo, danser, regarder la télé, étudier, téléphoner, écouter de la musique, lire** and **faire du shopping**.

Blackline Master 21: *Sondage*
Have students fill in the survey with how they feel about each activity pictured in Blackline Master 20.

Blackline Master 22: *Correspondants*
Ask students questions about the profiles of French-speaking teens. For example, **Qui aime regarder la télé? Qui habite au Canada? Qui a 15 ans?** You might have students choose a pen pal with similar interests and write a letter introducing themselves, asking how things are going and stating what activities they enjoy. If you want your students to have a real French-speaking pen pal, have them select one at an Internet site that you select.

Unité 3

Blackline Master 23: *Quick*
Have students play the roles of a server and a customer who wants to order a meal at **Quick** using some of the featured items.

Blackline Master 24: *Heure*
As you say various times on the hour, students write the time on the clock faces. You might also have students work in pairs: Student A gives the time and Student B writes the time on the clock faces. Have students switch roles halfway through the sheet.

Blackline Master 25: *Pendule*
Have students assemble the clock. Then put students in pairs. Student A moves the hands of the clock to a certain time and asks Student B **Quelle heure est-il?** Student B responds, giving the time on the hour. Then have students switch roles.

Blackline Master 26: *Tarif des consommations*
Have students write prices on the menu in euros.

Blackline Master 27: *Hippopotamus*
Have students play the roles of a server and customer at Hippopotamus. The server should ask what **garniture** and **sauce** the customer wants in addition to the main course.

Blackline Master 28: *Salade niçoise*
Have students make a shopping list for a group of eight. Then have them purchase the ingredients they need and make the salad by following the directions. You might give an award to the group with the most attractive or most delicious salad.

Blackline Master 29: *Glaces*
Ask students questions about this menu from the **Café de Flore** in Paris. For example, "Which ice cream would you order if you liked nuts? Which choices include sherbet? What would you order if you had only nine euros?" Finally, have students choose their favorite ice cream dish.

Blackline Master 30: *Problèmes de maths*
Have students write out the answers to these math problems in words or give the answers orally. This activity practices the numbers from 20 to 100.

Blackline Master 31: Bingo
Have students fill in the Bingo sheet with numbers from one through 20 in the first vertical column, from 21-40 in the second column, from 41-60 in the third column, from 61-80 in the fourth column and from 81-100 in the fifth column. Then randomly call out numbers from one to 100. As students hear each number, they mark the corresponding space. The winner, the first person to complete a horizontal, vertical or diagonal line, can call out numbers in the next round.

Blackline Master 32: *Nombres*
Have students cut out the numbers and use them as flashcards, writing the number on the back of each card. Students can work in pairs to quiz each other.

Blackline Master 33: *Au café*
Have students determine which euro coins and bills they would leave to pay for these bills with exact change.

Blackline Master 34: *Euros*
Have students cut out the euro coins and bills and use them in dialogues when paying the server.

Unité 4

Blackline Master 35: *Objets de la salle de classe*
Have students use these illustrations of classroom objects as flashcards. To play Concentration, have students use another sheet of paper and make squares that each contain the name of one of these objects. Then have students cut out the squares of illustrations and the squares of words. Students mix up the squares and place them face down. When an illustration and a description match, the player sets the pair aside. The player with the most matching pairs wins.

Blackline Master 36: *Dans la salle de classe*
Have students practice the new vocabulary in pairs. Student A points to an object and asks Student B **Qu'est-ce que c'est**? Student B identifies the object, for example, **C'est une chaise**. Halfway through the list of objects, have students switch roles.

Blackline Master 37: *À l'école*
Have students circle the illustrations that you name.

Blackline Master 38: *Plan de l'école*
Have students label the different parts of the school.

Blackline Master 39: *Cours*
Working with a partner, students can practice the new vocabulary. Student A points to an illustration and asks **Qu'est-ce que tu étudies**? Student B answers **J'étudie le/la...** Halfway through, have students switch roles.

Blackline Master 40: *Emploi du temps*
Have students create a class schedule that reflects the courses they are currently taking.

Blackline Master 41: *Bulletin de notes*
Have students complete the report card and write in the courses they are taking on the left. On the right, have them write comments they think their teachers would make, using the expressions at the bottom of the page.

Blackline Master 42: *Quelle heure est-il?*
Use this form to teach telling time to students.

Blackline Master 43: *Une pendule à affichage numérique*
Have students assemble the digital clock according to the directions. Then have students work with a partner to practice listening comprehension. Student A gives Student B a time, for example, **Il est huit heures moins le quart**. Student B aligns the strips of paper in the clock to reflect the given time, *i.e.*, 7:45. Then have students switch roles.

Blackline Master 44: *Télé 7 Jours*
Using the 24-hour clock, ask students what TV program they are watching at a given time, for example, **Qu'est-ce que tu regardes à onze heures dix**? Students name the program they are viewing, *i.e.*, **Je regarde 'Flash Info.'**

Blackline Master 45: *Agenda*
Have students list the activities they are participating in for a full week, for example, **(samedi, 16h00) faire du roller**.

Unité 5

Blackline Master 46: *Carte d'identité*
Have students fill in the form with their personal information.

Blackline Master 47: *Portraits*
Have students take out their crayons or colored pencils. Describe the hair and eye color of the various people and have students color them in.

Blackline Master 48: *La famille de Jacques*
Ask students questions about Jacques' family, for example, **Qui est la grand-mère de Jacques**?

Blackline Master 49: *Arbre généalogique*
Have students fill in the family tree with names of their family members.

Blackline Master 50: *Animaux*
Have students play a communicative card game. Put students in groups of three. Give each group two copies of the grid containing the animal drawings. Then have students cut out the squares. Next they shuffle the cards (squares). The dealer deals out all the cards. Then the first student asks a group member if he or she has the animal on the first card, for example, **Est-ce que tu as un chat?** The student who is questioned responds affirmatively or negatively: **Oui, j'ai un chat./Non, je n'ai pas de chat.** If the first student makes a match, he or she takes another turn. If not, the student to the right of the first student takes a turn. The student with the most pairs at the end of the game wins.

Blackline Master 51: *La Martinique*
Ask students questions about the realia, for example, **À quelle heure est-ce qu'il y a une visite guidée du Fort Saint-Louis? Quelle est la date du semi-marathon?**

Blackline Master 52: *La Guadeloupe*
Ask students questions about the realia, for example, **Est-ce qu'on joue au volley à l'Hôtel Le Marissol? Quel est le numéro de téléphone de Socomeco?**

Blackline Master 53: *Monuments en musique*
Ask students the dates of listed concerts, for example, **Quelle est la date du concert d'Anne-Marie Jan?**

Blackline Master 54: *Signes du zodiaque*
Ask students the dates of various zodiac signs.

Blackline Master 55: *Calendrier*
Have pairs of students work together to assemble the calendar and practice recognizing dates. Student A gives a date, for example, *C'est le 14 janvier, 2007.* Student B aligns the strips of paper to show "14-1-07." Then have students switch roles.

Blackline Master 56: *Le baptême de Julie*
Ask students questions about the baptism realia, for example, "What is the name of the baby being baptized? In what town does the baptism take place? What is the date of the baptism? What sign do the priest, parents and godparents make on the baby's forehead?"

Blackline Master 57: *Faire-part*
Ask students questions about the wedding invitation and birth announcement.

Blackline Master 58: *Invitations*
Have students fill out the wedding and party invitations.

Blackline Master 59: *Fêtes à souhaiter*
Ask students the date of the saint's feast day for certain boys and girls. For example, **Quelle est la fête pour un garçon qui s'appelle Gaston? Quelle est la fête pour une fille qui s'appelle Irène?**

Unité 6

Blackline Master 60: *L'Europe*
Have students label the countries that border France: **la Belgique, le Luxembourg, la Suisse, l'Italie** and **l'Espagne.**

Blackline Masters 61 and 62: *Professions*
Have students practice the new vocabulary in pairs. Student A asks Student B where a certain employee works, for example, **Où travaille la femme au foyer?** Student B answers the question with a logical place, for example, **La femme au foyer travaille à la maison.**

Blackline Master 63: *Petites annonces*
Ask students to identify the profession of a person who would be interested in each advertisement.

Blackline Master 64: *La France I*
Students can refer to this map of France as they read the **Culture** section called **La France et ses voisins** on page 200 of the textbook.

Blackline Master 65: *La France II*
Have students label the rivers and mountain ranges in France, as well as the bodies of water surrounding the country. You might also have them locate and label some cities.

Blackline Master 66: *Départements*
When students read about **les départements** in the **Culture** section on page 200 of the textbook, have them refer to this map.

Blackline Masters 67 and 68: *Saisons*
Have students write in appropriate weather expressions for each illustrated season.

Blackline Master 69: *Quel temps fait-il?*
Have students work in pairs to practice weather expressions. Student A points to an illustration and asks **Quel temps fait-il?** Student B answers the question, for example, **Il fait du soleil.** Halfway through the illustrations, have students switch roles.

Blackline Master 70: *Symboles météorologiques*
Have students use these weather symbols to make a weather map of France. Students can write in temperatures as well. To find out current weather conditions in France, key in "météo France" on the Internet using your favorite search engine.

Blackline Master 71: *Météo*
Have students fill out a weather report for their region, using the Celsius scale to record the temperature.

Blackline Master 72: *Le bulletin météo en France*
Ask students questions about the weather map, for example, **Quel temps fait-il à Metz? Quelle est la température à Brest?**

C'est à toi!
Level One
©EMC

Activities for Proficiency

Suggestions for Use

xiii

Unité 7

Blackline Master 73: *Vêtements*
Ask students questions about the illustrations, for example, **Qu'est-ce que Salim porte? Qui porte un sweat?**

Blackline Masters 74, 75 and 76: *Poupées en papier*
Give each paper doll (page 76) a name. Have students cut out the articles of clothing. Then have students dress the paper dolls according to your directions, for example, **Sophie porte une chemise et un pantalon. Éric porte une veste et un pantalon.** For another activity, you might ask students to color the clothing according to your instructions, for example, **La veste de M. Dupont est grise.**

Blackline Master 77: *Vêtements pour filles*
Ask students questions about the realia, for example, **Est-ce que tu aimes le pantalon H? Combien coûte le tee-shirt K?**

Blackline Master 78: *Vêtements pour garçons*
Ask students questions about the realia, for example, **Est-ce que tu aimes le sweat B? Combien coûte le pantalon E?**

Blackline Master 79: *Bon de commande*
Have students order clothing from Blackline Masters 77 and 78 by filling in this form with a description of the clothing items, their number, size, quantity, price and total.

Blackline Master 80: *Emplacement des rayons (Printemps)*
Ask students in which store and on what level they would find various items, such as suits for men and dresses for women.

Blackline Master 81: *Couleurs*
Have students color the balloons appropriately.

Unité 8

Blackline Master 82: *Nourriture*
Have students practice the new vocabulary in pairs. Student A points to a food item and asks Student B where it can be bought, for example, **Où est-ce qu'on achète le yaourt?** Student B responds, for example, **On achète le yaourt à la crémerie.**

Blackline Masters 83 and 84: *Faisons les courses!*
Ask students questions about the food items, for example, **Combien coûte un kilo de bœuf? Combien de haricots verts peut-on acheter pour 1,37 euros?**

Blackline Master 85: *Au supermarché*
Have students identify the food items.

Blackline Master 86: *Expressions de quantité*
Have students write an original sentence using each expression of quantity.

Blackline Master 87: *Au marché*
Have students work in pairs to practice the new vocabulary. Students begin by writing in prices for the illustrated fruits and vegetables. Then Student A asks Student B how much a certain fruit or vegetable costs, for example, **Combien coûtent les melons?** Student B looks at his or her illustration to find the price and answers, for example, **Les melons coûtent 1,55 euros le kilo.** Halfway through the fruits and vegetables, have students switch roles.

Blackline Master 88: *Légumes et fruits*
Have students work with a partner to practice the new vocabulary. Student A gives the name of eight fruits and vegetables on his or her shopping list. Student B crosses off the illustrations that correspond with those named fruits and vegetables. After the eight fruits and vegetables have been marked, Student B reads back those same fruits and vegetables. Then students switch roles.

Blackline Master 89: *Aux magasins*
Have students work in pairs to identify the names of the various shops that can be found in a French town. Student A asks Student B where he or she is going: **Où est-ce que tu vas?** Student B identifies a destination, for example, **Je vais à la boulangerie.** Then Student A marks an "X" through the store in the illustration that Student B has identified. Halfway through the list of stores, have students switch roles. Another activity is to have students identify what can be purchased in each store.

Blackline Master 90: *Fiche de cuisine*
Using the new expressions at the bottom of the page, have students translate a favorite recipe into French without naming the dish. Then have students exchange recipes and see if their classmates can identify the dish.

Blackline Master 91: *Risotto aux légumes*
Have students make this recipe at home and serve it to their families.

Blackline Master 92: *Salade de fruits exotiques*
Have students make a shopping list, go out and buy the ingredients for this recipe and prepare it in groups of four in the Family and Consumer Sciences Department.

Unité 9

Blackline Master 93: *À la maison*
Have students practice the new vocabulary in pairs. Student A points to a piece of furniture or an appliance and asks **Qu'est-ce que c'est**? Student B identifies the object, for example, **C'est un lit**. In this manner students can also practice the names of the rooms of the house.

Blackline Master 94: *Plan de maison*
Have students label the rooms of the house.

Blackline Master 95: *La chambre I*
Have students work with a partner to practice the new vocabulary. Students begin by cutting out the objects and placing them where they would like them in the bedroom. Then Student A asks Student B where the objects are in his or her bedroom, for example, **Où est ton réveil?** Student B looks at his or her bedroom and answers using a preposition, for example, **Mon réveil est sur ma table de nuit**. After Student A is done asking questions about half of the objects, students switch roles.

Blackline Master 96: *La chambre II*
Ask students questions about the bedroom furniture, for example, **Combien de portes a l'armoire qui coûte 760,72 euros? Combien coûte le bureau? Quel est le style du lit?**

Blackline Master 97: *Le salon I*
Have students work in pairs to practice the new vocabulary. Students begin by cutting out the objects and placing them where they would like them in the living room. Then Student A asks Student B where the objects are in his or her living room, for example, **Où est ton poste de télévision?** Student B looks at his or her living room and answers using a preposition, for example, **Mon poste de télévision est sur ma table**. After Student A is done asking questions, students switch roles.

Blackline Master 98: *Le salon II*
Ask students questions about the living room furniture, for example, **Quelles sont les couleurs des fauteuils? Combien mesure la table TV? Combien de places a le canapé?**

Blackline Master 99: *Maisons à vendre*
Ask students questions about the houses for sale, for example, **Quelle maison est traditionnelle? Quelles maisons ont une piscine? Combien de pièces est-ce qu'il y a dans la maison à Soustons? Combien coûte la maison à Bordeaux?**

Blackline Master 100: *Appartements à vendre*
Ask students questions about the apartments for sale, for example, **Quel appartement a une vue sur la tour Eiffel? Quels appartements parisiens ont un digicode? L'appartement à Nice a combien de pièces? Quel appartement en province a une cuisine équipée?**

Blackline Master 101: *Menu*
Have students plan a menu, listing several French dishes for each course.

Blackline Master 102: *Dans la cuisine*
Have students practice the new vocabulary with a partner. Student A asks Student B to identify an object in the kitchen by pointing to it and asking **Qu'est-ce que c'est**? Student B identifies the object, for example, **C'est une assiette**. Halfway through the new vocabulary, have students switch roles.

Blackline Master 103: *Couvert*
Have students label the parts of a table setting in French.

Blackline Master 104: *Couscous*
Have students make a shopping list of what they would need to buy in order to make this recipe. If they already have an ingredient at home, they do not need to include it on their shopping list.

Blackline Master 105: *Le Maghreb*
Have students label **le Maroc, l'Algérie** and **la Tunisie**, as well as their capitals.

Unité 10

Blackline Master 106: *Parties du corps*
Have students practice the new vocabulary in pairs. Student A points to a part of the skeleton and identifies it correctly or incorrectly, for example, **C'est la main?** Student B agrees or disagrees: **Oui, c'est la main./Non, ce n'est pas la main.** If Student B disagrees, he or she names the part of the body correctly. Students alternate until all the body parts have been practiced.

Blackline Master 107: *Le Club Moving*
Ask students questions about the health club, for example, **Quelles activités est-ce que Le Club Moving propose? Combien de Clubs Moving est-ce qu'il y a en France?**

Blackline Master 108: *Sports d'hiver*
Have students label the illustrated winter sports using the infinitives listed at the bottom of the page.

Blackline Master 109: *Hébergement à Chamonix*
Ask students questions about the chalet, for example, **Le chalet est à combien de kilomètres de Genève? En quels mois est-ce que le chalet coûte 590 euros par semaine?**

Blackline Master 110: *Faisons du ski à Chamonix!*
Ask students questions about Chamonix, for example, **Quand est la saison hiver? Chamonix est au pied de quelle montagne?**

Blackline Master 111: *La Suisse*
Have students label the map of Switzerland with the cities listed at the bottom. Point out that Bâle and Genève have different names in English (Basel and Geneva).

Blackline Master 112: *Qu'est-ce qu'on a?*
Have students practice the new vocabulary with a partner. Student A points to an illustration and asks **Qu'est-ce qu'il/elle a?** Student B responds using the correct expression from the list, for example, **Il a mal à la tête.** Halfway through the illustrations, have students switch roles.

Blackline Master 113: *Dans la salle d'attente et à la pharmacie*
Have students label the illustrated objects using the expressions at the bottom of the page. Then have students write original sentences using the new expressions.

Blackline Master 114: *Produits pharmaceutiques*
Have students practice the new vocabulary in pairs. Student A asks when Student B needs one of the listed products, for example, **Quand as-tu besoin d'aspirine?** Student B responds using one of the expressions from Blackline Master 112, for example, **J'ai besoin d'aspirine quand j'ai mal à la tête.** Halfway through the new expressions, have students switch roles.

Blackline Master 115: *Expressions argotiques*
Put students in pairs and have each pair create a dialogue using several of the French slang expressions. Once students are familiar with the list of slang expressions, you might have them listen to a song by Renaud and ask them to make a list of the slang expressions they hear.

Blackline Master 116: *Expressions difficiles à prononcer*
Choose a French tongue twister each day and have students practice it.

Unité 11

Blackline Master 117: *L'Europe*
Have students locate and label the capitals of France, Belgium, Luxembourg and Switzerland.

Blackline Master 118: *Horaire des trains*
Ask students questions about the train schedule, for example, "When does the 7:25 train from Paris arrive in Tours? What stops does the train 8213 make after Paris?"

Blackline Master 119: *Eurostar*
Ask students questions about the train schedule and ticket prices, for example, "Which train station in Paris do the trains leave from? What is the cheapest one-way ticket for an adult?"

Blackline Master 120: *La France par le train*
Ask students questions about train routes in France, for example, "The train from Marseille passes through which cities on the way to Lyon? Going southwest from Poitiers, what is the last city the train stops at?"

Blackline Master 121: *À la gare*
Have students practice the new vocabulary in pairs. Student A picks a location and asks Student B what he or she is doing there, for example, **Tu es au buffet. Qu'est-ce que tu fais?** Student B responds logically, for example, **Je mange au buffet**. Halfway through the new vocabulary, have students switch roles.

Blackline Master 122: *Billets de train*
Have students fill out the train ticket for a chosen destination in France.

Blackline Master 123: *Le monde francophone*
Have students color the French-speaking countries on the map.

Blackline Master 124: *En ville*
Have students play a communicative card game. Put students in groups of three. Give each group two copies of the illustrations. Then have students cut out the squares to make cards. Next they shuffle the cards. The dealer deals out all the cards. Then the first student asks a group member if he or she went to a certain place, for example, **Es-tu allé(e) au musée?** The student who is questioned responds affirmatively or negatively, depending on whether or not he or she has the other museum card: **Oui, je suis allé(e) au musée./Non, je ne suis pas allé(e) au musée**. If the first student makes a match, he or she takes another turn. If not, the student to the right of the first student takes a turn. The student with the most pairs at the end of the game wins.

Blackline Master 125: *Plan de Bordeaux*
Give students directions from one place to another on the map, for example, **Vous commencez au théâtre au sud-est de la ville. Vous prenez la rue Sauvageau. Vous tournez à gauche sur le cours Victor Hugo. Vous tournez à droite sur la rue J. Burguet. Vous arrivez sur la place Pey Berland. Où es-tu?** Then have students write down where they are, for example, **Je suis à l'église**.

Blackline Master 126: *Plan de la ville*
Have students give names to the streets on the map.

Backline Master 127: *Camping de la Plage*
Have students fill out the camping bill for their family.

Blackline Master 128: *Oursula fait du camping*
Have students write a story about Oursula's camping trip. First, have students cut out the picture squares. Then have them order the squares in a logical sequence that they then describe.

Unité 12

Blackline Master 129: *Plan de Paris*

As students learn about certain monuments in Paris, have them circle them on the map. You might also ask students to give the directions they took to get from one monument to another on an imaginary tour of Paris.

Blackline Master 130: *Plan de métro*

Ask students to describe how they got from one station to another on an imaginary metro trip. Students should say where they began, where they changed lines and where they arrived.

Blackline Master 131: *Musées de Paris*

Ask students questions about this realia from *Pariscope*, for example, "What number do you call at **le Centre National d'art et de culture Georges Pompidou** to find out about group visits and guided tours? What languages are the audioguides in at the Louvre? When does the park at **le musée Rodin** close?"

C'est à toi!
Level One
©EMC

Activities for Proficiency

Suggestions for Use

xix

Prénoms de filles

Adèle	Claudine	Josette	Myriam
Adja	Clémence	Julie	Nadège
Agnès	Colette	Juliette	Nadia
Aïcha	Coralie	Karima	Nadine
Alice	Corinne	Karine	Nathalie
Amina	Danièle	Laïla	Nicole
Andrée	Delphine	Lamine	Noëlle
Anne	Denise	Latifa	Nora
Anne-Marie	Diane	Laure	Odile
Annick	Dominique	Laurence	Pascale
Annie	Dorothée	Liliane	Patricia
Antoinette	Édith	Lise	Paule
Antonine	Élisabeth	Lisette	Pauline
Arabéa	Élise	Louise	Renée
Ariane	Élodie	Lucie	Rose
Assia	Émilie	Lydie	Sabine
Aude	Emmanuelle	Madeleine	Sabrina
Aurélie	Estelle	Magali	Saleh
Aurore	Ève	Malika	Sandrine
Barbara	Fatima	Margarette	Sara
Béatrice	Fernande	Marguerite	Solange
Bénédicte	Florence	Marianne	Sonia
Bernadette	France	Marie	Sophie
Blanche	Françoise	Marie-Alix	Stéphanie
Brigitte	Gabrielle	Marie-France	Suzanne
Caroline	Geneviève	Marie-Louise	Suzette
Catherine	Gilberte	Marie-Madeleine	Sylvie
Cécile	Gisèle	Marielle	Thérèse
Céline	Gyslaine	Marion	Valérie
Chantal	Hélène	Marlène	Véronique (Véro)
Charlotte	Huguette	Marthe	Virginie
Chloé	Isabelle	Martine	Viviane
Christiane	Jacqueline	Maryse	Yasmine
Christine	Jamila	Michèle	Yolande
Claire	Jeanne	Mireille	Yvette
Claude	Jocelyne	Monique	Zakia
Claudette	Joëlle	Murielle	Zohra

Prénoms de garçons

Abdel-Cader	Dikembe	Jean-Paul	Philippe
Abdou	Djamel	Jean-Philippe	Pierre
Abdoul	Dominique	Jean-Pierre	Raoul
Adam	Édouard	Jérémy	Raphaël
Ahmed	Emmanuel (Manu)	Jérôme	Raymond
Alain	Éric	Jocelyn	Régis
Alban	Étienne	Jöel	Rémi
Albert	Eugène	Joseph	Renaud
Alexandre	Fabrice	Julien	René
Alfred	Fayçal	Karim	Richard
Amine	Fernand	Khadim	Robert
André	Franck	Khaled	Roger
Antoine	François	Laurent	Roland
Armand	Frédéric (Fred)	Léon	Romain
Arnaud	Gaël	Lionel	Roy
Arthur	Gaspard	Loïc	Salim
Assane	Gauthier	Louis	Samuel
Aurélien	Geoffroy	Luc	Sébastien
Baptiste	Georges	Mahmoud	Serge
Bastien	Gérard	Malick	Simon
Benjamin	Gilbert	Mamadou	Stéphane
Benoît	Gilles	Marc	Sylvain
Bernard	Grégoire	Marcel	Théo
Bertrand	Guillaume	Martin	Thibault
Brissac	Gustave	Mathieu	Thierry
Bruno	Guy	Max	Thomas
Charles	Hector	Michel	Tristan
Christian	Henri	Mohamed	Victor
Christophe	Hervé	Nicolas	Vincent
Claude	Hugues	Noël	Vivien
Clément	Jacques	Normand	Xavier
Cyrille	Jean	Olivier	Yann
Damien	Jean-Charles	Ousmane	Yves
Daniel	Jean-Christophe	Pascal	
David	Jean-Claude	Patrice	
Denis	Jean-François	Patrick	
Didier	Jean-Louis	Paul	

Activities for Proficiency

Noms de famille

Ardouin	Evenou	Murat
Audubert	Fortin	Musset
Barrault	François	Nanty
Barrier	Gaillot	Noiret
Barthélémy	Gautier	Pâtissier
Bataille	Girardot	Pierredon
Bellami	Giraudeau	Pilorge
Berger	Girault	Plassard
Bernicat	Grévin	Poulain
Berry	Guiserix	Rampal
Bertrand	Haudepin	Renard
Bongarçon	Huppert	Roubaud
Bonnet	Jouan	Rouquette
Bouchain	Jugnot	Rousseau
Boudé	Labarthe	Roux
Bouquet	Lacroix	Ruquier
Bourdon	Lamoureux	Saint-Georges
Breton	Latour	Saint-Jean
Caillaud	Laval	Sand
Camors	Laville	Savary
Charrier	Leblanc	Savoisien
Charvenet	Lefèvre	Seigner
Cheval	Leforestier	Tanguy
Chevalier	Legrand	Tellier
Claisse	Lesage	Thibault
Clavel	Lescot	Vallon
Cocteau	Letourneur	Vartet
Coffe	Lheureux	Vercambre
Collomb	Lorgnier	Vigneault
Cuvelier	Maillot	Vincent
Delrieu	Marceau	
Dubois	Mauclair	
Dubonnet	Maurin	
Dumas	Mercadier	
Dupont	Millet	
Duprés	Moreau	
Dutoit	Mousset	

Annuaire québécois

Laborde Joël 8130 Dalkeith ----- 352-3235
Laborde M 6566 31Av Rsmt ----- 722-6775
Laborde M
  4812 duTremblay Chomedey ----- 682-8655
Laborde M 7811 PlSeuilly ----- 352-5129
Laborde R 6935 SherbrookeE ----- 256-1721
LaBorgne Abraham Kiahnawake Knw ----- 632-6673
Laborgne D Kahnawake Knw ----- 638-3430
Laborgne G Kahnawake Knw ----- 635-1110
Laborgne P Kahnawake Knw ----- 635-8304
Laborgne Stephen Kahnawake Knw ----- 632-8923
Laborie Clément 1758 Panet ----- 528-1267
Laborie V 2050 LambertClosse ----- 934-3081
Labos Constantino 8169 Birnam ----- 274-2110
Labos Georges 271 Dresden ----- 738-8212
Labos J 695 92Av Chomedey ----- 688-1087
Labos M 755 Montpellier ----- 332-9915
Labos N 7818 Durocher ----- 279-2038
Labos P 6985 Durocher ----- 271-4191
Labos P 7818 Durocher ----- 495-3338
Labos P 8585 Outremont ----- 274-3282
La Bossiere A 72 Crestwood ----- 484-4839
Labossière Albert
  1432 deChampigny ----- 767-1842
Labossière André 725 38Av Lchn ----- 637-1725

Labossière André
  64 RenéPhilippe VLeM ----- 672-9949
Labossière Bruno
  16069 CarolineRacicot PAT ----- 642-0619
Labourdette S 4490-A Palerme ----- 723-2982
Labouret Charlotte 5625 Chabot ----- 273-7848
Labourot F 6329 Chambord ----- 948-5119
Labourot Xavier 4357 Coolbrook ----- 482-7804
Laboursadière L 4155 44Rue StMchl ----- 327-0412
Laboursodière Carmen
  4480 PrPaton Chomedey ----- 688-1588
Laboursodière P 8228 StAndré ----- 271-4517
Laboursodiere Pierre
  271 deLanoue IledesSoeurs ----- 769-9039
Labovich S ----- 849-6296
Labovics B 6 Colchester ----- 486-4658
Labow Cecil A 5718 Wildwood ----- 482-2437
Labra Miguel 524 2Av Ver ----- 761-6683
La Braca A 11584 Bossuet MtlN ----- 326-7823
La Braca Francesco
  11586 Bossuet MtlN ----- 323-3841
Labracherie P 6180 16Av Rsmt ----- 725-4566
Labrakis Elie
  1358 Gibbon Chomedey ----- 978-7358

Labranche A 9265 BdLaSalle LSI ----- 363-6070
Labranche A
  685 Chabrier Chomedey ----- 668-2482
Labranche A
  899 CharlesGuimond Bchvl ----- 449-7884
Labre Roger 1161 46Av PAT ----- 642-4226
Labré Rolland 45 1Av LSI ----- 365-1634
Labre Sylvain 1525 Prud'Homme ----- 486-0780
Labre Y 1150 Gordon Ver ----- 766-9249
Labrèche A 5968 26Av Rsmt ----- 722-1264
Labrèche A 6543 29Av Rsmt ----- 729-6412
Labrèche A 217 AvGiroux LRap ----- 681-0872
Labrèche A 643 Delinelle ----- 932-9585
Labrèche A 7773-A Dufresne LSI ----- 366-7480
Labrèche A 7023 Marquette ----- 728-4806
Labrèche A 9047 Nobel ----- 322-4480
Labrèche A 705-A Raymond ----- 367-0387
Labrèche A 1825 SteRose ----- 525-2191
Labrèche A 461 Willibrord ----- 766-9721
Labrèche Alain 4361 deLorimier ----- 528-1722
Labrèche Albert 6484 Sherbrooke0 ----- 486-3680
Labrèche B 2070 WestBroadway ----- 369-9404
Labrèche Benoît
  5141 PlLeblanc VSteCath ----- 635-4183

Problèmes de maths

1. $20 \div 5$

2. 4×4

3. $12 + 5$

4. $19 - 8$

5. $15 \div 5$

6. $9 + 6$

7. 10×2

8. $9 + 9$

9. $10 - 2$

10. $20 \div 2$

11. $19 - 18$

12. 3×3

13. $14 - 7$

14. $6 \div 3$

15. $12 + 7$

16. 2×3

17. $8 + 5$

18. $6 + 8$

19. $20 - 15$

20. 4×3

Loto

Alphabet

A	B	C	D
E	F	G	H
I	J	K	L
M	N	O	P
Q	R	S	T
U	V	W	X
Y	Z		

Accents

a	à	â	b	c
ç	d	e	é	è
ê	ë	f	g	h
i	î	ï	j	k
l	m	n	o	ô
œ	p	q	r	s
t	u	û	ù	v
w	x	y	z	

Salut! Ça va?

Information personnelle

Je m'appelle _____

Dans la classe de français je m'appelle _____

J'habite à _____

Mon numéro de téléphone est _____

Mon e-mail est _____

Symboles pour les activités en classe

Comment dit-on...?

En français	Ta phrase

Badges

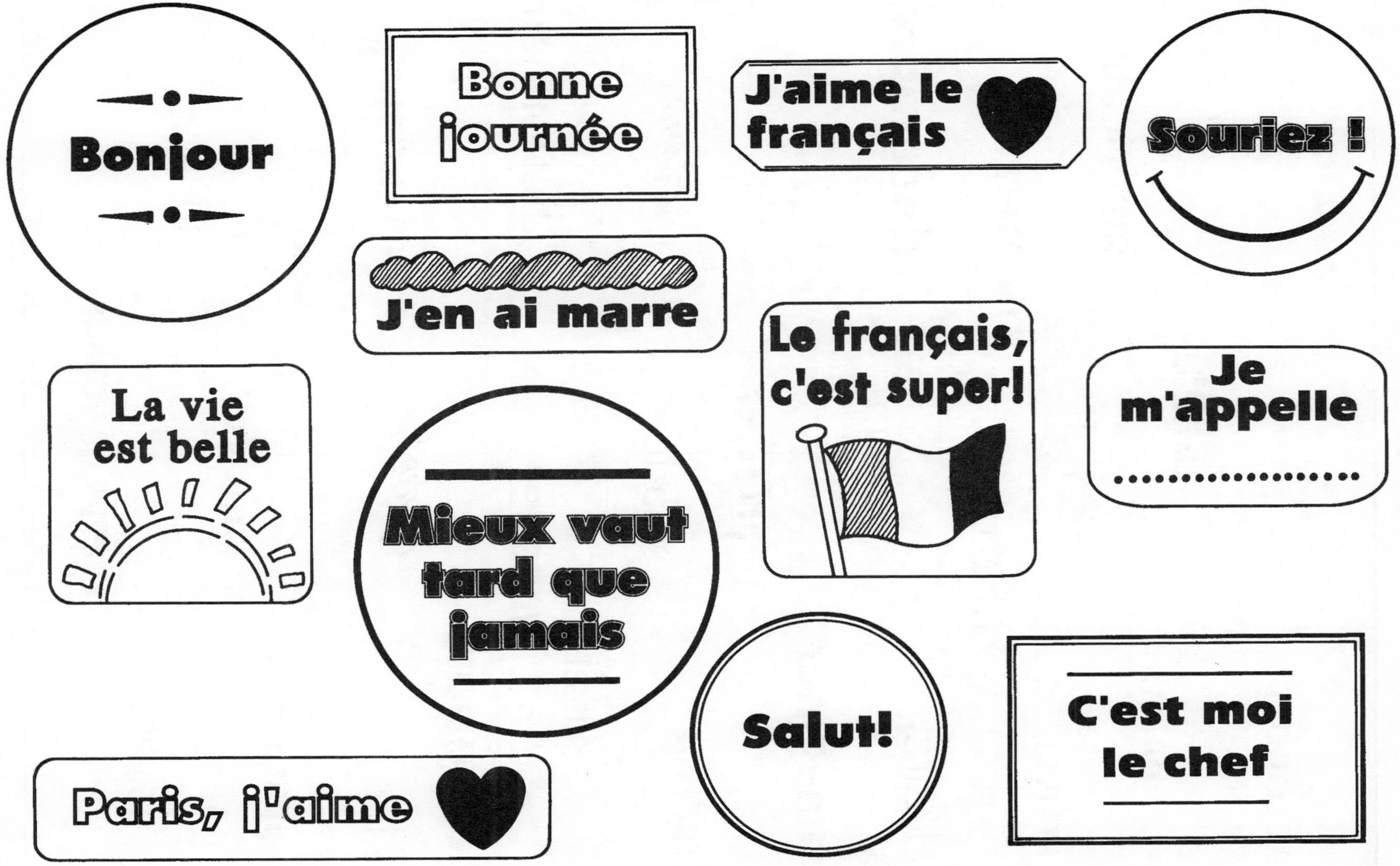

Souriez !

Je m'appelle
....

C'est moi
le chef
_____

J'aime le
français

Le français,
c'est super !

Salut !

Bonne
journée

J'en ai marre

Mieux vaut
tard que
jamais

Bonjour

La vie
est belle

Paris, j'aime

Mots apparentés

aéroport

bleu

calendrier

docteur

lampe

banane

américain

géographie

arriver

kilomètre

liberté

désirer

décembre

maman

imaginer

allô

préférer

moderne

salade

automne

danser

dictionnaire

voyager

passeport

téléphoner

musique

skier

oncle

appartement

musée

cinéma

disquette

chèque de voyage

PARISCOPE—tous les films de la semaine

SIGNIFICATION DES CODES

AN : films d'animation   AV : aventure   CD : comédie dramatique

CO : comédie   CT : court métrage   DA : dessin animé

DC : documentaire   DP : drame psychologique   DR : drame

FA : fantastique   FD : film de danse   FM : film musical   FN : film noir

FP : film politique   GR : guerre   HO : horreur   KA : karaté

PO : policier   SF : science-fiction   TH : thriller   WS : western

---

A

L'Argent de poche
(reprise) . . . . CD

Assassination Tango . . . . . . PO

L'aurore (Sunrise) (reprise). . DP

Autant en emporte le vent
(Gone With the Wind)
(reprise) . . . . DR

Les Aventures de Robin
des Bois . . . . AV

B

Banlieue 13 . . . . PO

Blade Runner (reprise) . . . . SF

C

Camping à la ferme . . . . . . CO

Cinéma Paradiso (reprise) . . CD

Le Courage d'aimer . . . . . . CD

D

De l'autre côté du monde
(Master and
Commander) . . . . AV

Dinosaure . . . . AN

Donjons et dragons . . . . . . FA

Dune . . . . SF

E

E.T. L'extra terrestre . . . . . . FA

F

La Famille indienne . . . . . CO

Fantasia . . . . AN

La Fiancée syrienne . . . . . . CD

G

Les Glaneurs et la
glaneuse . . . . DC

Le Grinch . . . . CO

H

Hôtel Rwanda . . . . DR

I

L'Interprète . . . . TH

L'Intrus . . . . CD

J

Jason et les Argonautes . . . AV

Je t'aime toi . . . . CO

L

Le Livre de Jérémie . . . . . . DR

M

Madagascar . . . . DA

La Maison de cire (House
of Wax) . . . . HO

La marche de l'empereur
(March of the
Penguins) . . . . DC

Mondovino . . . . DC

N

Nosferatu le vampire . . . . . FA

Notre Dame de Paris . . . . . DR

P

La passion du Christ . . . . . DR

Pink Floyd the wall . . . . . FM

R

Robots . . . . FA

S

Sahara . . . . AV

La souris du Père Noël . . . . DA

Star Wars: épisode III . . . . . SF

T

Tintin et le temple du
soleil . . . . DA

Les Triplettes de
Belleville . . . . FA

W

Winnie l'ourson et
l'éfélant . . . . DA

Z

Zazie dans le métro
(reprise) . . . . CO

Jeu aux dés

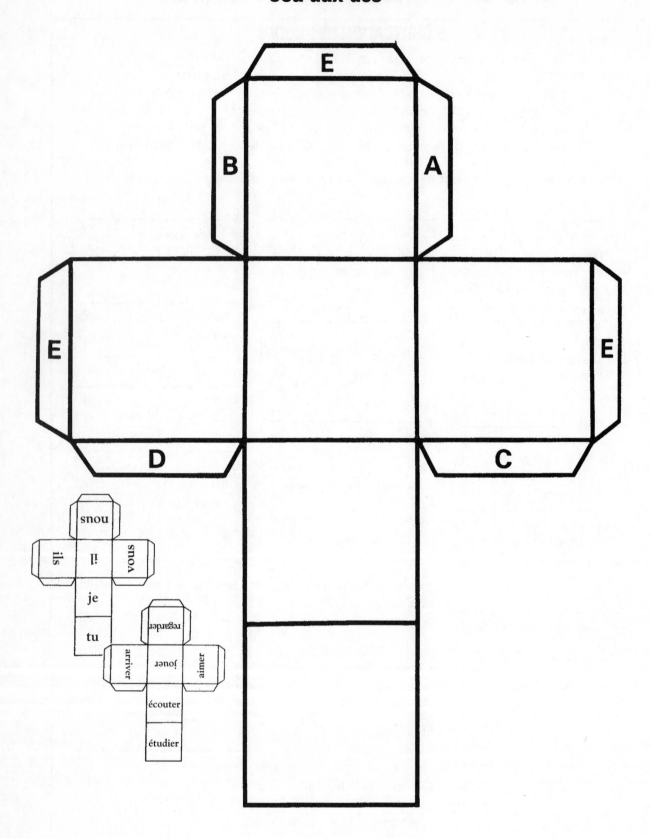

Tic Tac Toe

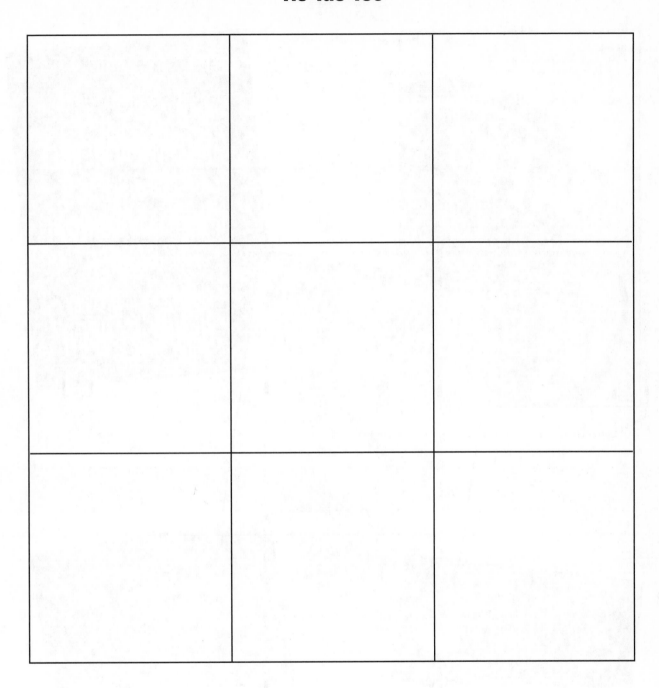

Musique

Sports

jouer au badminton
jouer au basket
jouer au cricket
jouer au football
jouer au hockey
jouer au rugby
jouer au squash

jouer au tennis
jouer au tennis de table
aller à la pêche
faire de l'équitation
faire de la gymnastique
faire de l'haltérophilie
faire de la natation

faire de la planche à voile
faire de la voile
faire du canoë
faire du jogging
faire du patin à roulettes
faire du ski
faire du vélo

Verbes de l'Unité 2

Activities for Proficiency

Sondage

Tu aimes ...?	J'adore ...	J'aime ...	Bof!	Je n'aime pas ...	Je déteste ...

Correspondants

Caroline Cassel
15 ans
160, rue du Faubourg St. Honoré,
75008 Paris, France

Passetemps: faire du camping, étudier,
regarder la télé

Fabrice Cheval
14 ans
4, rue Jean-Jaurès, 74000 Annecy, France

Passetemps: lire les magazines de sport,
jouer au foot, sortir avec mes amis

Antoinette Dubois
15 ans
75, rue Lazare Carnot, 97200 Fort-de-
France, Martinique

Passetemps: écouter le reggae, dormir
sur la plage, nager dans la mer

Claire Hondagneu
14 ans
2, place Bellecour, 69002 Lyon, France

Passetemps: faire du shopping, faire du
vélo, regarder les comédies au cinéma

Pierre Moreau
14 ans
25, avenue Leclerc, 1300l Marseille,
France

Passetemps: jouer aux jeux vidéo,
jouer au basket, écouter le rap

Serge Schmitt
16 ans
16, rue du Mont-Blanc, CH1201,
Genève, Suisse

Passetemps: faire du ski nautique,
manger de la pizza, téléphoner à
mes amis

Jean Tremblay
14 ans
387 rue Saint-Joseph Est, Québec,
Canada G1K 8E2

Passetemps: faire du ski, écouter de la
musique, faire du footing

Sophie Valéry
15 ans
12, avenue Thiers, 06302 Nice, France

Passetemps: écouter le rock, regarder
les films américains, faire du roller
dans le parc

Quick

Nos Sandwichs

- LE GIANT -
Deux savoureux Steack hachés de 45 grs, 100% pur bœuf grillés à point
Une belle tranche de chester fondant
Juste ce qu'il faut d'oignons
De la scarole bien fraîche
Une succulente sauce à base de mayonnaise et de câpres
Le tout présenté dans un petit pain rond toasté et chaud

- LE LONG CHICKEN-
Un Filet de Poulet
Gouda
Salade Iceberg
Sauce Spéciale au Poivre
Le tout dans un Long Pain toasté

- LE KINGFISH-
Un filet blanc de poisson pané (hoki)
Une belle tranche de chester fondant
De la scarole bien fraîche
Une onctueuse sauce tartare
Le tout présenté dans un petit pain rond moelleux et chaud

Nos Salades

- LA PAYSANNE-
Carottes rapées, Mix de Salade, Tomates, Œuf Dur, Poulet
Indien, Fromage en Allumettes, Persil

Nos Desserts

- LA MOUSSE AU CHOCOLAT -
Mousse au Chocolat en Coupe, saupoudrée de copeaux de chocolat

- LA SALADE DE FRUITS -
Délicieuse salade à base de fruits frais
gorgés de jus

Heure

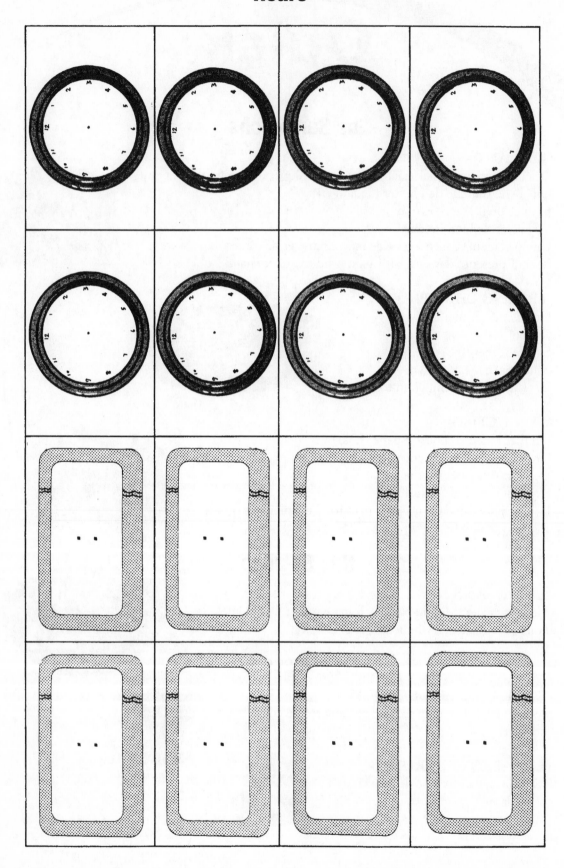

Pendule

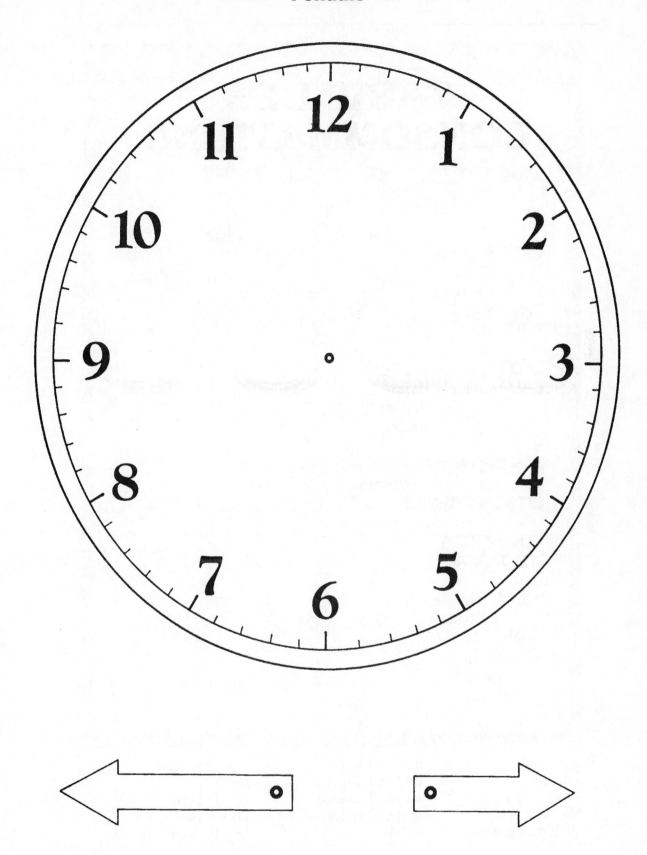

Tarif des consommations

TARIF DES CONSOMMATIONS

PRIX

CAFÉ Express
    Filtre
    Crème
CHOCOLAT
THÉ

LAIT
EAU minérale Evian
    Perrier
    Vichy

JUS DE FRUITS Orange
    Pomme
CITRON PRESSÉ

COCA-COLA
LIMONADE

BIÈRE Blonde
    Brune
CIDRE
VIN Rouge
    Blanc
    Rosé

une bière	un Coca-Cola	une limonade
un café	de l'eau minérale	un thé
un chocolat	un jus d'orange	un vin blanc
un cidre	un jus de pomme	un vin rosé
un citron pressé	du lait	un vin rouge

C'est à toi!
Level One
©EMC

HIPPOPOTAMUS

Les Grillés

Faux-Filet Minute — 10,51€
Appelé aussi "contre-filet". Il est noble et savoureux (180 g).

Côtes d'agneau — 13,56€
Chez nous, elles vont par trois, am-stram-gram... Servies avec ou sans herbes (3 fois 80 g).

Pièce du boucher — 14,94€
Comme son nom l'indique, la pièce des pros. Épaisse et goûteuse (260 g).

Côte de bœuf — 15,09€
Une côte à l'os individuelle, épaisse et fondante. La diva de la maison (330 g).

Onglet — 13,41€
Un classique apprécié des connaisseurs. Viande longue, reconnaissable à son grain et à sa saveur parfumée (190 g).

Côte de bœuf "Villette" pour deux — 34,91€
Une composition pour deux personnes qui vous laissera sans voix. Le must de la maison (800 g).

Les poids indiqués sont avant cuisson et peuvent varier de plus ou moins 5%.

Bavette — 12,04€
Viande longue un peu serrée taillée dans l'aloyau, juteuse à souhait (170 g).

Pavé — 13,56€
Derrière ce nom se cache un cœur de rumsteck, tendre et léger (180 g).

Entrecôte — 14,33€
Moelleuse et racée. Son "persillé" autorise la cuisson à point. Sa classe vous séduira (250 g).

Hippo Mixed Grill — 13,56€
Agneau, bœuf, poitrine fumée, canard, grillés à point pour une riche brochette accompagnée de rondelles de tomate et de salade.

T. Bone — 16,61€
Il nous vient de l'ouest américain. Sa coupe particulière, l'os en T, séparant le filet du faux-filet, le distingue entre tous (400 g).

Chili con carne — 8,53€
Une recette aussi brûlante que le soleil de Mexico : des haricots rouges, de la viande de bœuf, une sauce épicée et parfumée. Arriba !

Les Sauces

Relevez vos grillés selon votre humeur avec :
une sauce béarnaise,
une sauce roquefort,
une sauce échalotes,
une sauce aux deux poivres,
un beurre maître d'hôtel ou
la Spéciale Hippo.

Un jour les chefs d'Hippopotamus rêvèrent autour d'une béarnaise. Ils lui ajoutèrent quelques saveurs : porto, romarin, sauce anglaise... La sauce Hippo était née.

Les Garnitures

Chacun de nos grillés est accompagné, au choix, de pommes allumettes, de pomme au four, d'haricots verts ou de salade verte, servis à volonté.

Salade niçoise

Pour 4 personnes
Préparation: 30 min

Ingrédients:
4 œufs
4 filets d'anchois
1 petit concombre
2 poivrons jaunes ou rouges
4 tomates
3 oignons de printemps
1 salade verte
100 g d'olives noires
3 cuil à soupe vinaigre de vin
5 cuil à soupe d'huile d'olive
1 gousse d'ail
sel, poivre

- Faites cuire les œufs et mettez les anchois à dessaler dans l'eau 10 min. Pelez le concombre, coupez-le en deux dans le sens de la longueur. Ôtez les graines à l'aide d'une petite cuillère et coupez-le en fines tranches.

- Coupez les poivrons en deux. Ôtez le pédoncule et les pépins, lavez-les. Recoupez-les en deux dans le sens de la longueur puis en lanières. Lavez les tomates, enlevez le pédoncule et coupez-les en quartiers.

- Nettoyez les oignons de printemps sous un filet d'eau, puis émincez-les, tige comprise. Lavez et essorez soigneusement la salade. Divisez les feuilles en gros morceaux et disposez-les au fond d'un plat de service.

- Répartissez les légumes et les olives sur la salade. Écalez les œufs, coupez-les en quatre. Essuyez les filets d'anchois avec du papier absorbant. Ajoutez les œufs, les oignons et les anchois dans le plat de service.

- Mélangez le vinaigre et l'huile. Épluchez la gousse d'ail et passez-la au presse-ail au dessus du bol. Salez et poivrez selon votre goût. Nappez la salade de vinaigrette et servez immédiatement.

Glaces

Coupe Rive Gauche	8,38€
3 parfums au choix	
Coupe du Glacier	8,69€
Abricot, framboise, nougat miel,	
coulis de fruits rouges	
Milk Shake	8,38€
Parfum au choix	
Chocolat Liégois	8,99€
Glace chocolat, sauce	
chocolat, Chantilly	
Café Liégois	8,99€
Glace café, sauce café, Chantilly	
Coupe Melba	9,30€
Vanille, pêche fruit, gelée de	
groseilles, Chantilly, amandes	
Coupe Flore	9,30€
Chocolat noir, caramel	
nougatine, Sorbet poire,	
sauce chocolat, Chantilly	
Coupe St-Germain	9,30€
Vanille, pistache, Sorbet	
framboise, coulis de fruits	
rouges, Chantilly	
Profiteroles fourrées	8,99€
Glace vanille, sauce chocolat	

Problèmes de maths

1. 33×3

2. $100 - 74$

3. $88 \div 2$

4. $26 + 31$

5. $89 - 58$

6. $47 + 33$

7. 22×3

8. 11×7

9. $72 + 28$

10. $270 \div 3$

11. $100 - 26$

12. $34 + 29$

13. $76 \div 2$

14. $98 - 42$

15. $100 \div 4$

16. $78 + 22$

17. 12×4

18. $99 - 12$

19. $142 \div 2$

20. $99 - 37$

Bingo

Nombres

un	deux	trois	quatre
cinq	six	sept	huit
neuf	dix	onze	douze
treize	quatorze	quinze	seize
dix-sept	dix-huit	dix-neuf	vingt
vingt et un	vingt-deux	vingt-trois	vingt-quatre
vingt-cinq	vingt-six	vingt-sept	vingt-huit
vingt-neuf	trente	trente et un	trente-deux
trente-trois	trente-quatre	trente-cinq	trente-six
trente-sept	trente-huit	trente-neuf	quarante
quarante et un	quarante-deux	quarante-trois	quarante-quatre
quarante-cinq	quarante-six	quarante-sept	quarante-huit
quarante-neuf	cinquante	cinquante et un	cinquante-deux
cinquante-trois	cinquante-quatre	cinquante-cinq	cinquante-six
cinquante-sept	cinquante-huit	cinquante-neuf	soixante
soixante et un	soixante-deux	soixante-trois	soixante-quatre
soixante-cinq	soixante-six	soixante-sept	soixante-huit
soixante-neuf	soixante-dix	soixante et onze	soixante-douze
soixante-treize	soixante-quatorze	soixante-quinze	soixante-seize
soixante-dix-sept	soixante-dix-huit	soixante-dix-neuf	quatre-vingts
quatre-vingt-un	quatre-vingt-deux	quatre-vingt-trois	quatre-vingt-quatre
quatre-vingt-cinq	quatre-vingt-six	quatre-vingt-sept	quatre-vingt-huit
quatre-vingt-neuf	quatre-vingt-dix	quatre-vingt-onze	quatre-vingt-douze
quatre-vingt-treize	quatre-vingt-quatorze	quatre-vingt-quinze	quatre-vingt-seize
quatre-vingt-dix-sept	quatre-vingt-dix-huit	quatre-vingt-dix-neuf	cent

Au café

Café de la Poste

un chocolat	3,10
un jus d'orange	3,05
un croque-monsieur	4,55
un sandwich au fromage	4,28

Café du Vieux Port

un diabolo menthe	3,32
un jus de raisin	2,28
une salade de tomates	4,29
une tarte aux pommes	4,15

L'Anatolie

un express	2,27
un café-crème	2,76
2 croissants	2,84

Café Beau Temps

un coca	2,95
une limonade	2,87
une glace à la vanille	4,90
une glace au chocolat	4,90

Café Marceau

une eau minérale	3,00
une salade verte	4,19
un steak-frites	10,82
une crêpe	3,53

La Belle Époque

un jus de pomme	2,30
une eau minérale	2,90
une quiche	4,60
un hamburger	5,25

Euros

Objets de la salle de classe

un atlas
un cahier
une calculatrice
un cartable
une cassette
un compas
un crayon
un dictionnaire

un feutre
une gomme
un livre
un ordinateur
une règle
un stylo
une trousse

Dans la salle de classe

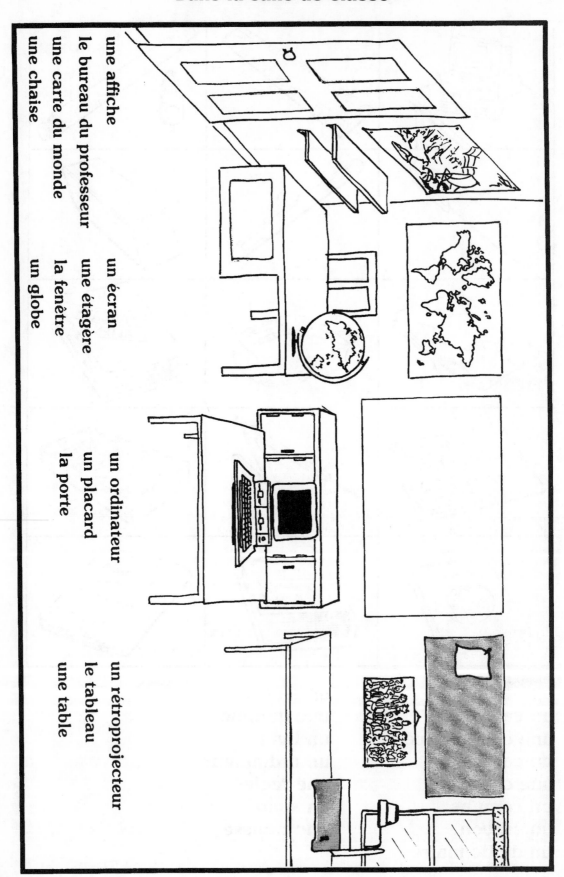

une affiche
le bureau du professeur
une carte du monde
une chaise

un écran
une étagère
la fenêtre
un globe

un ordinateur
un placard
la porte

un rétroprojecteur
le tableau
une table

À l'école

le russe
un trombone

un manuel
une rédaction

le grec
un labo

un feutre
une gomme

un carnet
un examen

une agrafeuse
un bloc-notes
le calcul

Plan de l'école

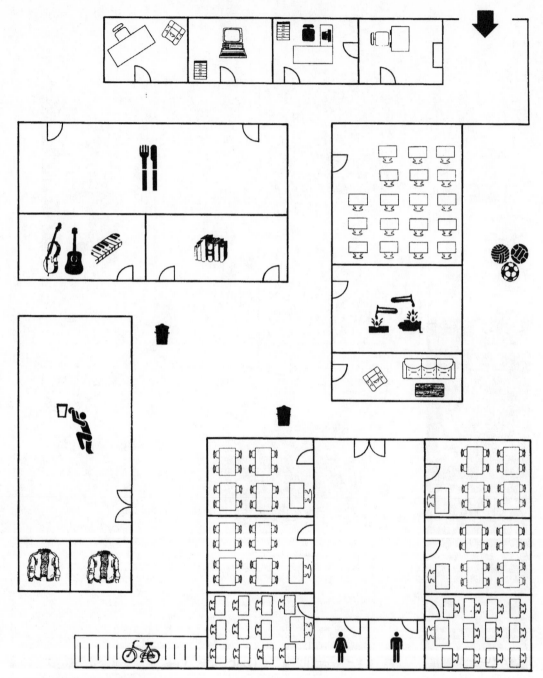

le bureau du directeur ou
   de la directrice
la cantine
le CDI (centre de documentation
   et d'information)
la cour
l'entrée
le gymnase
les laboratoires
les salles de classe

la salle des professeurs
le terrain de sport
les toilettes
les vestiaires
la salle d'étude
la salle de musique
l'intendance
le préau
le secrétariat
la réception

Cours

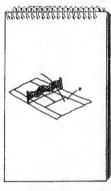   

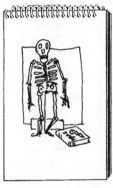   

   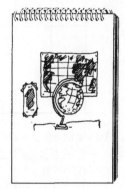

allemand
anglais
chimie
dessin

éducation physique
   et sportive
espagnol
français

géographie
histoire
informatique
italien

mathématiques
musique
physique
sciences naturelles
travaux manuels

Emploi du temps

🕐										
LUNDI										
MARDI										
MERCREDI										
JEUDI										
VENDREDI										
SAMEDI										

Activities for Proficiency

Bulletin de notes

Année scolaire:			Trimestre:
NOM:			
PRÉNOM:			
CLASSE:			**EFFECTIF:**

Matières	Travail	Résultats	Appréciations des professeurs
Niveau général:			

Mathématiques et lecture à travailler en vacances, si possible!

Attention à l'écriture!

Résultats passables.

Bon élève./Bonne élève.

De graves insuffisances en composition.

Devrait progresser.

Insuffisant.

Bonne participation.

Élève sérieuse et intéressée.

Élève intelligent mais paresseux.

Élève travailleur/travailleuse.

Résultats satisfaisants dans l'ensemble.

Élève très gentil(le) et souriant(e).

Quelques difficultés mais de la bonne volonté.

Travail consciencieux.

Satisfaisant.

Élève actif/active et dynamique.

Bons résultats - continuez!

Encore des problèmes.

Un peu timide à l'oral.

Un peu bavard(e) en classe.

Quelle heure est-il?

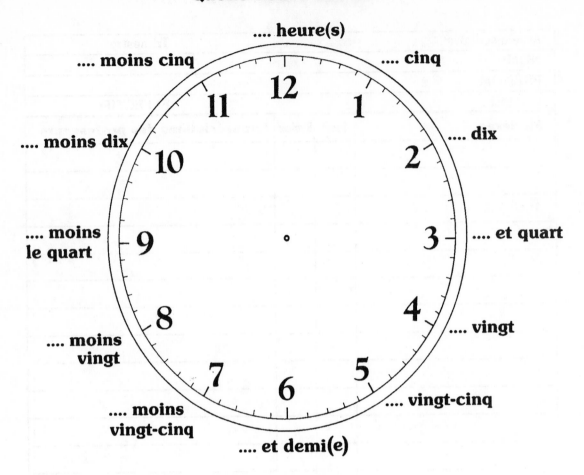

.... heure(s)

.... moins cinq

.... cinq

.... moins dix

.... dix

.... moins
le quart

.... et quart

.... moins
vingt

.... vingt

.... moins
vingt-cinq

.... vingt-cinq

.... et demi(e)

il est une heure

il est six heures

il est midi

il est minuit

Une pendule à affichage numérique

Il te faut: du carton, de la colle, une paire de ciseaux et un couteau.

- Colle la feuille sur du carton.
- Découpe les cinq bandes.
- Au couteau, fais des fentes dans le cadran.
- Assemble la pendule.

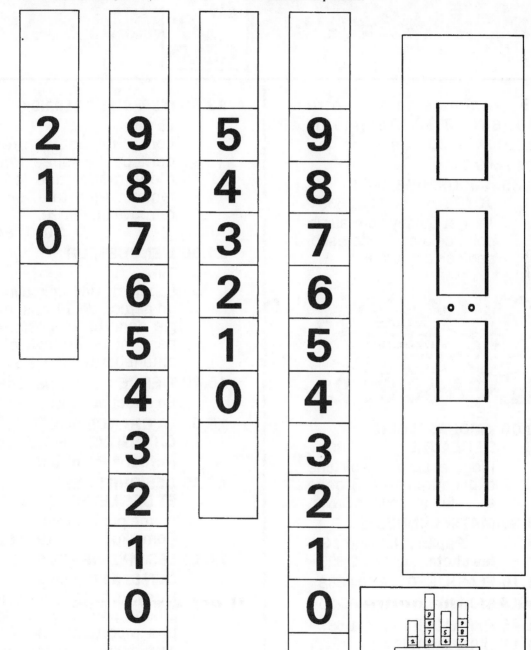

6.05 Animalement vôtre 6 680 465♦ **6.30** Télématin 8 351 277♦ **8.30** Les films Lumière 6 649 246♦

8.35 AMOUREUSEMENT VÔTRE 9 861 533♦
Jack et Stacey sont sur le point de s'offrir une escapade en amoureux.

Joue avec ton téléphone comme sur une console de jeux!
36 68 00 23

9.00 AMOUR, GLOIRE ET BEAUTÉ 5 303♦
Ridge essaye d'avoir une explication avec Brooke au sujet de Connor Davis.

9.30 MATIN BONHEUR
Les Paparazzi. Invité : Gilles Lhote. 2 082 823♦

11.10 FLASH INFO 2 594 668♦
11.15 MOTUS 8 899 200♦
11.45 PYRAMIDE 2 741 587♦
12.15 LES Z'AMOURS 6 871 026♦
12.50 MÉTÉO 5 326 262♦
12.55 RAPPORT DU LOTO 5 325 533♦
13.00 JOURNAL 24 804♦
    13.35 La bourse
    13.40 Météo

13.45 INSPECTEUR DERRICK
La fête
Lors d'un bal, le président de la soirée tente d'embrasser une jeune femme. Plus tard, on la retrouve inanimée. 2 030 084♦

14.50 L'ENQUÊTEUR
Tim
Faber et Max découvrent un garçon de 11 ans réfugié dans un magasin. Ils pensent qu'il s'agit d'un enfant battu. 4 913 543♦

15.40 TIERCÉ 9 087 543♦
En direct de Vincennes

15.55 LA CHANCE AUX CHANSONS 6 612 194♦
Retour à Barbizon

16.45 DES CHIFFRES ET DES LETTRES
Animé par Laurent Romejko. 5 193 151♦

17.15 LES PREMIÈRES FOIS
La fête à l'italienne
Busy répète avec son groupe pour une audition très importante. 90 262♦

17.45 GÉNÉRATION MUSIQUE
Les copains d'abord
L'arrivée de Ted, un ami de Matt, met les deux filles du groupe California Dreams en émoi. 16 823♦

18.10 LE PRINCE DE BEL AIR

Agenda

................(mois)

... lundi

8	_____	14	_____
9	_____	15	_____
10	_____	16	_____
11	_____	17	_____
12	_____	18	_____

... mardi

8	_____	14	_____
9	_____	15	_____
10	_____	16	_____
11	_____	17	_____
12	_____	18	_____

... mercredi

8	_____	14	_____
9	_____	15	_____
10	_____	16	_____
11	_____	17	_____
12	_____	18	_____

... jeudi

8	_____	14	_____
9	_____	15	_____
10	_____	16	_____
11	_____	17	_____
12	_____	18	_____

... vendredi

8	_____	14	_____
9	_____	15	_____
10	_____	16	_____
11	_____	17	_____
12	_____	18	_____

... samedi

8	_____	14	_____
9	_____	15	_____
10	_____	16	_____
11	_____	17	_____
12	_____	18	_____

... dimanche

8	_____	14	_____
9	_____	15	_____
10	_____	16	_____
11	_____	17	_____
12	_____	18	_____

Carte d'identité

Nom (de famille) ....

Prénom(s) ....

Adresse ....

....

....

Numéro de téléphone ....

Date de naissance ....

Lieu de naissance ....

Nationalité ....

Profession ....

Taille ....

Poids ....

Cheveux ....

Yeux ....

Principale qualité ....

Principal défaut ....

Animaux ....

Adore ....

Déteste ....

Couleur préférée ....

```
PHOTO
```

Signature ....

46   Unité 5   Activities for Proficiency

C'est à toi!
Level One
©EMC

Portraits

Adam

Guy

Gaspard

Charles

Georges

Alain

Corinne

Maryse

Viviane

Nora

Valérie

Clément

C'est à toi!
Level One
©EMC

Activities for Proficiency

Unité 5

47

La famille de Jacques

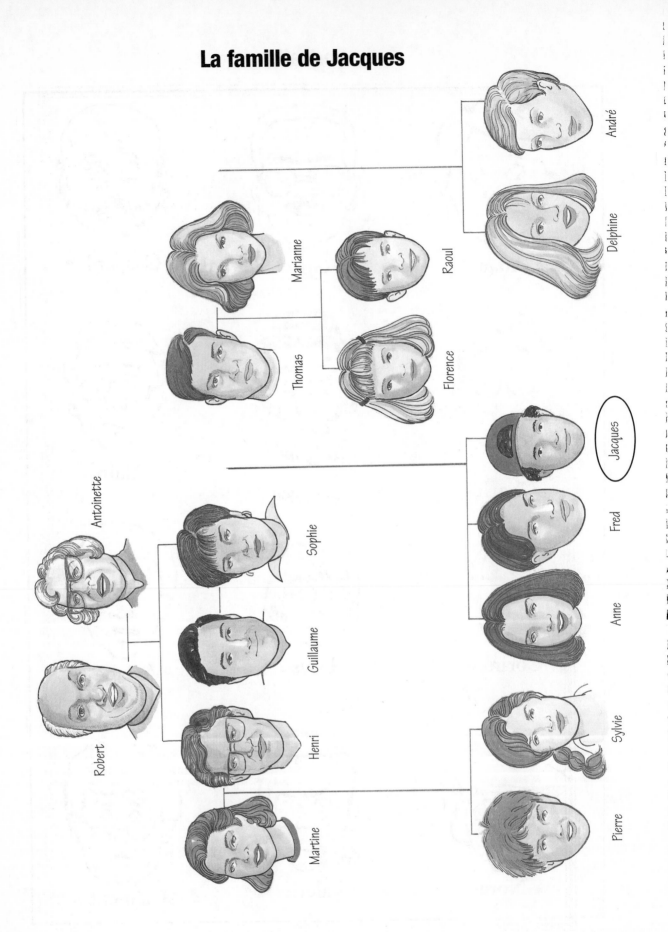

Activities for Proficiency

Arbre généalogique

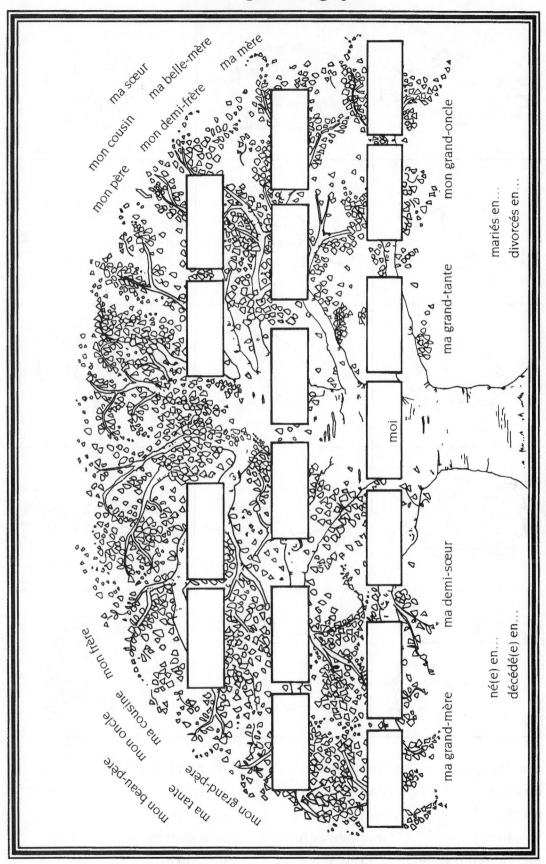

Animaux

une araignée	un hamster	un poisson rouge
un chat	un lapin	un rat
un cheval	un perroquet	un serpent
un chien	une perruche	une souris
un cochon d'Inde	un pigeon	une tortue

Activities for Proficiency

La Martinique

Musée Paul Gauguin
☎ 78.22.66 et 72.52.49
Anse Turin 97221 CARBET
Ouvert tous les jours de 10h00 à 17h30

Vacances "Capitale" à Fort-de-France

Office du Tourisme
Fort-de-France

CULTURE
SAVEURS
LOISIRS
SPORT

Fort-de-France Tourism Board

76, rue Lazare Carnot
FORT-DE-FRANCE
Tél : 0596 60 27 73
Fax : 0596 60 27 95

Lundi et Vendredi de 8h00 à 17h00
Samedi de 8h30 à 12h30

26ème Festival Culturel de Fort-de-France

"Les rendez-vous de la conquête"

Danse, Musique, Théatre, Expos, Conférences, Débats, Artistes du monde entier.

du **7** au **22 juillet**

Isaac Hayes, Emeline Michel,
Tambours du Japon, Gratien Midonet...

Portes Ouvertes sur la Caraïbe
Jardins du Parc Floral
13-14 Juillet "SANBLÉ"

Service Municipal d'Action Culturelle
Parc Floral et Culturel de Fort-de-France
Tél : 0596 73 60 25 - Fax : 0596 71 90 14

Tourisme Culturel au Fort Saint-Louis
Monument Historique

Visitez l'édifice le plus ancien de Fort-de-France.

Visite guidée du mardi au samedi de 10h à 15h.
anglais, français

Ass. des Amis du Fort St-Louis
Bd Chevalier Ste Marthe
Accés : "Porte Du Parquet"
☎ : 0596 60 54 49

Semi-Marathon International de Fort-de-France
13ème édition
29 Novembre 17h

Stade Municipal - Dillon

Service des Sports
de Fort-de-France
Tél : 0596 60 60 13
Fax : 0596 60 20 72

ASC Francophone
Tél/Fax 01 43 02 30 77
Ass.Martiniquaise des
Coureurs de Fond
Tél 0596 63 16 16

---

aventures tropicales

• SAFARI 4X4
• CANYONING
• KAYAK
• RANDONNÉES
• PARCOURS D'AVENTURE

MARTINIQUE

RENSEIGNEMENTS ET RESERVATIONS
0596.64.58.49

La Guadeloupe

ACTIVITÉS NAUTIQUES À LA GUADELOUPE

BATEAUX
Quel que soit le choix, de nombreux loueurs proposent des bateaux de toute dernière génération adaptés aux besoins les plus divers.

- Massif Marine Antilles
  Location voiliers avec ou sans skipper.
  Voiliers de 7,5 m à 15 m.
  Vedettes de 6 à 12 m.
  Marina Bas-du-Fort
  Tél.: 0590 90 98 40 – Fax: 0590 90 77 06
- Atlantis
  Monocoque et catamaran 8,50 à 25 m avec ou sans skipper.
  Marina Bas-du-Fort
  Tél.: 0590 90 74 43 – Fax: 0590 90 93 91
- Tropical Yacht Services
  Agent Fountaine-Pajot
  Bateaux catamaran de 5 à 10 personnes.
  Location: 2 jours minimum
  Marina Bas-du-Fort
  Tél.: 0590 90 84 52 – Fax: 0590 90 82 83
- Socomeco
  Location bateaux à moteur 21 pieds avec ou sans skipper à la journée.
  Marina Bas-du-Fort
  Tél: 0590 84 32 07 – Fax: 0590 84 61 10

PLANCHE À VOILE/FUNBOARD
La Guadeloupe est un site exceptionnel tant pour l'initiation de la planche à voile que pour la pratique du funboard. Les "spots" les plus adaptés sont à St-François, Ste-Anne et le Gosier.

- Cercle Sportif de Bas-du-Fort
  C.S.B.F.
  Planche à voile, stage ¹/₂ journée.
  Marina Bas-du-Fort
  Tél.: 0590 90 93 94 – Fax: 0590 90 73 23
- Sport Away École Nathalie Simon
  Stages, cours de perfectionnement "Fun," location matériel Fanatic
  Hébergement possible
  Plage des Prés Saint-François
  Tél.: 0590 88 72 04 – Fax: 0590 88 72 04

SURF
Au départ plus marginal et peu structuré, le surf en Guadeloupe est devenu une activité très à la mode. Principaux spots: Le Moule, Port-Louis, La Pointe des Châteaux, Ste-Anne, St-François.

- Comité Guadeloupéen de Surf
  Ste-Anne Tél.: 0590 23 10 93
- L'Arawak Surf Club
  Tél.: 0590 23 75 68 – Fax: 0590 23 75 89

Monuments en musique

Monuments en musique

9 juillet
21 août

Concert à 21 h les :

Samedi 9/07	K. NOGUES	*HARPE*
	J. CHEVALLIER	*GONG*
Lundi 11/07	Anne-Marie JAN	*HARPE*
Vendredi 15/07	Pierric LEMOUX	*VIOLON*
	Éric GRANDJEAN	*ACCORDÉON*
Lundi 18/07	Anne-Marie JAN	*HARPE*
Lundi 25/07	Marthe VASSALO	*CHANTS-CONTES*
	Nolwen LE BUHE	
Vendredi 5/08	K. NOGUES	*HARPE*
	Y.-F. QUEMENER	*CHANT*
Vendredi 12/08	Marthe VASSALO	*CHANTS-CONTES*
	Nolwen LE BUHE	
Lundi 15/08	Pierric LEMOUX	*VIOLON*
	Loïc BLEJEAN	*FLÛTE*
	Yannick HALLORY	*IULLAN-PIPE*
Vendredi 19/08	Anne-Marie JAN	*HARPE*
Samedi 20/08	Jacques PELLEN	*GUITARE*
	et les frères MOLLARD	*VIOLON*
		CORNEMUSE

caisse nationale des **monuments historiques** et des **sites** ◇

Signes du zodiaque

Verseau
21 janvier – 18 février

....

....

Poissons
19 février – 20 mars

....

....

Bélier
21 mars – 20 avril

....

....

Taureau
21 avril – 21 mai

....

....

Gémeaux
22 mai – 21 juin

....

....

Cancer
22 juin – 22 juillet

....

....

Lion
23 juillet – 23 août

....

....

Vierge
24 août – 23 septembre

....

....

Balance
24 septembre –
23 octobre

....

....

Scorpion
24 octobre – 22 novembre

....

....

Sagittaire
23 novembre –
21 décembre

....

....

Capricorne
22 décembre – 20 janvier

....

....

Activities for Proficiency

Calendrier

Il te faut: du carton, de la colle, une paire de ciseaux et un couteau.
- Colle la feuille sur du carton.
- Découpe les cinq bandes.
- Au couteau, fais des fentes dans le cadran.
- Assemble le calendrier.

JANVIER			
FÉVRIER			
MARS	3	9	5
AVRIL	2	8	4
MAI	1	7	3
JUIN	0	6	2
JUILLET		5	
AOÛT		4	
SEPTEMBRE		3	
OCTOBRE		2	
NOVEMBRE		1	
DÉCEMBRE		0	

200

	JANVIER	
	FÉVRIER	
9	MARS	
8	AVRIL	
3	7	MAI	5
1	5	JUIN	200	3
	AOÛT	
3	SEPTEMBRE	
2	OCTOBRE	
1	NOVEMBRE	
0	DÉCEMBRE	

Le baptême de Julie

Baptême Julie CAZETTE

L'accueil (à l'entrée dans l'église)

- Quels noms avez vous choisis pour votre enfant ?

  Julie, Lorraine, Marie-Louise, Ida, Jeanne

- Que demandez vous pour Julie à l'Eglise de Dieu ? .... Le Baptême

- Et vous parrain et marraine, David et Catherine, vous devrez aider ces parents.
  Etes vous disposés à le faire ?

Signe de la croix : le Prêtre, puis les Parents, le Parrain et la Marraine
tracent un signe de croix sur le front de Julie.

Boussy Saint Antoine

6 janvier 2007

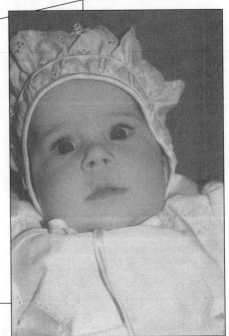

C'est à toi!
Level One
©EMC

Faire-part

Françoise et Luc
ont la joie de vous annoncer leur mariage.
Avec leurs grands-parents et parents, ils vous invitent à participer
à la célébration au cours de laquelle ils échangeront
leurs consentements, le 8 juin, 2007, à 17 heures
en l'Église Notre Dame des Flots au Cap Ferret – Gironde.

M. et Mme Adrien Lhotelliee
Rés. Verdun – 1, Rue de Verdun – 60100 Creil
M. et Mme Henri Hennegrave
22, Rue Barreyre – Claouey – 33950 Lege-Cap-Ferret

M. et Mme Paul Chapoton
Launac – 31330 Grenade
M. et Mme Michel Chapoton
4, Rue Camoin – 04000 Digne

Monique et Vincent RENAUD
13, avenue Maximilien Robespierre
94400 Vitry/Seine

sont heureux d'annoncer la naissance de leur fils
Alexandre
le 12 février, 2007

Invitations

Monsieur et Madame

....

ont la joie de vous annoncer le mariage
de leur fille

....

avec Monsieur

....

....

....

....

....

Tu es invité(e) à une fête géniale
le..
à .... heures

Adresse: ....

....

....

Bon anniversaire

Meilleurs vœux　　　*FÉLICITATIONS!*

BONNE ANNÉE

Bonne fête　　　*Joyeux Noël*

Joyeuses Pâques

Fêtes à souhaiter

Fêtes à souhaiter

A
Abraham	20 déc.
Achille	12 mai
Adèle	24 déc.
Adelphe	11 sept.
Adolphe	30 juin
Adrien	8 sept.
Agathe	5 fév.
Agnès	21 janv.
Aimé	13 sept.
Aimée	20 fév.
Alain	9 sept.
Alban	22 juin
Albert	15 nov.
Alda	26 avril
Alexandra	22 avril
Alexis	17 fév.
Alfred	12 oct.
Aline	16 déc.
Alix	20 oct.
Alphonse	1 août
Amandine	9 juil.
Ambroise	7 déc.
Amédée	30 mars
Amélie	19 sept.
André	30 nov.
Angèle	27 janv.
Anne	26 juil.
Annick	26 juil.
Anselme	21 avril
Anthelme	26 juin
Antoine	13 juin
Antoinette	28 fév.
Antonin	10 mai
Apolline	9 fév.
Aristide	31 août
Arlette	4 nov.
Armand	23 déc.
Armel	16 août
Arnaud	10 fév.
Arsène	19 juil.
Arthur	15 nov.
Astrid	27 nov.
Aubin	1 mars
Aude	18 nov.
Audrey	23 juin
Augustin	28 août
Aurélie	15 oct.
Aurore	13 déc.
Aymar	29 mai

B
Baptiste	24 juin
Barbara	4 déc.
Barbe	11 juin
Barnabé	23 janv.
Barthélemy	24 août
Basile	2 janv.
Bastien	20 janv.
Baudouin	17 oct.
Béatrice	13 fév.
Bénédicte	16 mars
Benjamin	31 mars
Benoît	11 juil.
B.-Joseph	16 avril
Bérenger	26 mai
Bernadette	18 fév.
Bernard	20 août
Bernardin	20 mai
Berthe	4 juil.
Bertille	6 nov.
Bertrand	6 sept.
Bettina	17 nov.
Blaise	3 fév.
Blanche	3 oct.
Blandine	2 juin
Boris	2 mai
Brigitte	23 juil.
Bruno	6 oct.

C
Camille	14 juil.
Carine	7 nov.
Caroline	17 juil.
Casimir	4 mars
Catherine	25 nov.
Cécile	22 nov.
Céline	21 oct.
Chantal	12 déc.
Charles	4 nov.
Charlotte	17 juil.
Christel	24 juil.
Christian	12 nov.
Christine	24 juil.
Christophe	21 août
Claire	11 août
Clarisse	12 août
Claude	15 fév.
Claudine	15 fév.
Clémence	21 mars
Clément	23 nov.
Clémentine	14 nov.
Clotilde	4 juin
Colette	6 mars
Côme	26 sept.
Constance	8 avril
Constant	23 sept.
Constantin	21 mai
Corinne	18 mai
Cyrille	18 mai

D
Damien	26 sept.
Daniel	11 déc.
David	29 déc.
Davy	20 sept.
Delphine	26 nov.
Denis	9 oct.
Denise	15 mai
Désiré	8 mai
Diane	9 juin
Didier	23 mai
Dimitri	26 oct.
Dominique	8 août
Donald	15 juil.
Donatien	24 mai

E
Edgar	8 juil.
Edith	16 sept.
Edmond	20 nov.
Edouard	5 janv.
Edwige	16 oct.
Eliane	4 juil.
Elisabeth	17 nov.
Ella	1 fév.
Eloi	1 déc.
Elsa	17 nov.
Elvire	16 juil.
Emeline	27 oct.
Emile	22 mai
Emilienne	19 sept.
Emma	19 avril
Emmanuel	25 déc.
Enguerran	25 oct.
Eric	18 mai
Ernest	7 nov.
Estelle	11 mai
Etienne	26 déc.
Eudes	19 août
Eugène	13 juil.
Eugénie	7 fév.
Eve	6 sept.
Evrard	14 août

F
Fabien	20 janv.
Fabrice	22 août
Fanny	26 déc.
Félicie	7 mars
Félicité	7 mars
Félix	12 fév.
Ferdinand	30 mai
Fernand	27 juin
Fiacre	30 août
Fidèle	24 avril
Firmin	11 oct.
Fleur	5 oct.
Florence	1 déc.
Florent	4 juil.
Florentin	24 oct.
Francine	9 mars
Francis	24 janv.
François	4 oct.
Françoise	9 mars
Frédéric	18 juil.
Fulbert	10 avril

G
Gabin	26 sept.
Gabriel	29 sept.
Gaëtan	7 août
Gaston	6 fév.
Gatien	18 déc.
Gautier	9 avril
Geneviève	3 janv.
Geoffroy	8 nov.
Georges	23 avril
Georgette	15 fév.
Gérald	5 déc.
Gérard	3 oct.
Géraud	13 oct.
Germain	28 mai
Germaine	15 juin
Ghislain	10 oct.
Gilbert	7 juin
Gildas	29 janv.
Gilles	1 sept.
Gisèle	7 mai
Gontran	28 mars
Grégoire	3 sept.
Guénolé	3 mars
Guillaume	10 janv.
Gustave	7 oct.
Guy	12 juin
Gwladys	29 mars

H
Habib	27 mars
Harold	1 nov.
Hélène	18 août
Henri	13 juil.
Herbert	20 mars
Hermann	25 sept.
Hervé	17 juin
Hilda	17 nov.
Hippolyte	13 août
Honoré	16 mai
Honorine	27 fév.
Hubert	3 nov.
Hugues	1 avril
Huguette	14 août

I
Ida	13 avril
Ignace	31 juil.
Igor	5 juin
Inès	10 sept.
Ingrid	2 sept.
Irène	5 avril
Irénée	28 juin
Irma	9 juil.
Isaac	20 déc.
Isabelle	22 fév.
Isidore	4 avril

J
Jacob	20 déc.
Jacqueline	8 fév.
Jacques	25 juil.
Jean	27 déc.
J.-Baptiste	24 juin
Jeanne	30 mai
Jérôme	30 sept.
Joachim	26 juil.
Joël	13 juil.
Joseph	19 mars
Judicaël	17 déc.
Judith	5 mai
Jules	12 avril
Julie	8 avril
Julien	2 août
Juliette	30 juil.
Juste	14 oct.
Justin	1 juin
Justine	12 mars

K
Kévin	3 juin

L
Landry	10 juin
Larissa	26 mars
Laure	10 août
Laurence	10 août
Laurent	10 août
Léa	22 mars
Léger	2 oct.
Léon	10 nov.
Léonce	18 juin
Lionel	10 nov.
Loïc	25 août
Louis	25 août
Louise	15 mars
Luc	18 oct.
Lucas	18 oct.
Lucie	13 déc.
Lucien	8 janv.
Ludovic	25 août
Lydie	3 août

M
Madeleine	22 juil.
Magali	20 juil.
Manuel	17 juin
Marc	25 avril
Marcel	16 janv.
Marcelle	31 janv.
Marcelline	17 juil.
Marguerite	16 nov.
Marianne	9 juil.
Marie	15 août
Marietta	6 juil.
Marina	20 juil.
Marius	19 janv.
Marthe	29 juil.
Martial	30 juin
Martin	11 nov.
Martine	30 janv.
Mathias	14 mai
Mathilde	14 mars
Matthieu	21 sept.
Maurice	22 sept.
Maxime	14 avril
Médard	8 juin
Mélaine	6 janv.
Michel	29 sept.
Modeste	24 fév.
Moïse	4 sept.
Monique	27 août
Myriam	15 août

N
Nadège	18 sept.
Nadia	18 sept.
Narcisse	29 oct.
Natacha	26 août
Nathalie	27 juil.
Nelly	18 août
Nestor	26 fév.
Nicolas	6 déc.
Nicole	6 mars
Nina	14 janv.
Ninon	15 déc.
Noël	25 déc.
Norbert	6 juin

O
Octave	20 nov.
Octavien	6 août
Odette	20 avril
Odile	14 déc.
Olga	11 juil.
Olive	5 mars
Olivier	12 juil.
Oswald	5 août

P
Paola	26 janv.
Parfait	18 avril
Pascal	17 mai
Pascale	17 mai
Patrice	17 mars
Patrick	17 mars
Paul	29 juin
Paule	26 janv.
Paulin	11 janv.
Peggy	8 janv.
Pélagie	8 oct.
Philippe	3 mai
Pierre	29 juin
Pierrette	31 mai
Prisca	18 janv.
Prosper	25 juin

R
Rachel	15 janv.
Raïssa	5 sept.
Raoul	7 juil.
Raphaël	29 sept.
Raymond	7 janv.
Régis	16 juin
Reine	7 sept.
Rémi	15 janv.
Renaud	17 sept.
René	19 oct.
Richard	3 avril
Robert	30 avril
Rodolphe	21 juin
Rodrigue	13 mars
Roger	30 déc.
Roland	15 sept.
Romain	28 fév.
Romaric	10 déc.
Roméo	25 fév.
Romuald	19 juin
Rosalie	4 sept.
Rose	23 août
Roselyne	17 janv.
Rosine	11 mars

S
Sabine	29 août
Salomé	22 oct.
Salomon	25 juin
Samuel	20 août
Sandra	2 avril
Saturnin	29 nov.
Sébastien	20 janv.
Serge	7 oct.
Séverin	27 nov.
Sidoine	14 nov.
Silvère	20 juin
Simon	28 oct.
Simone	28 oct.
Solange	10 mai
Sophie	25 mai
Stanislas	11 avril
Stéphane	26 déc.
Suzanne	11 août
Sybille	9 oct.
Sylvain	4 mai
Sylvestre	31 déc.
Sylvie	5 nov.

T
Tamara	1 mai
Tanguy	19 nov.
Tania	12 janv.
Tatiana	12 janv.
Teddy	9 nov.
Théodore	9 nov.
Théophile	20 déc.
Thérèse	15 oct.
Thibaut	8 juil.
Thierry	1 juil.
Thomas	3 juil.

U
Ulrich	10 juil.
Urbain	19 déc.
Ursule	21 oct.

V
Valentin	14 fév.
Valérie	28 avril
Véra	18 sept.
Véronique	4 fév.
Victor	21 juil.
Victorien	23 mars
Vincent	22 janv.
Virginie	7 janv.
Viviane	2 déc.
Vivien	10 mars

W
Wenceslas	28 sept.
Wilfried	12 oct.
Wolfgang	31 oct.

X
Xavier	3 déc.
Xavière	22 déc.

Y
Yann	27 déc.
Yolande	11 juin
Yves	19 mai
Yvette	13 janv.
Yvonne	19 mai

Z
Zita	27 avril
Zoé	2 mai

L'Europe

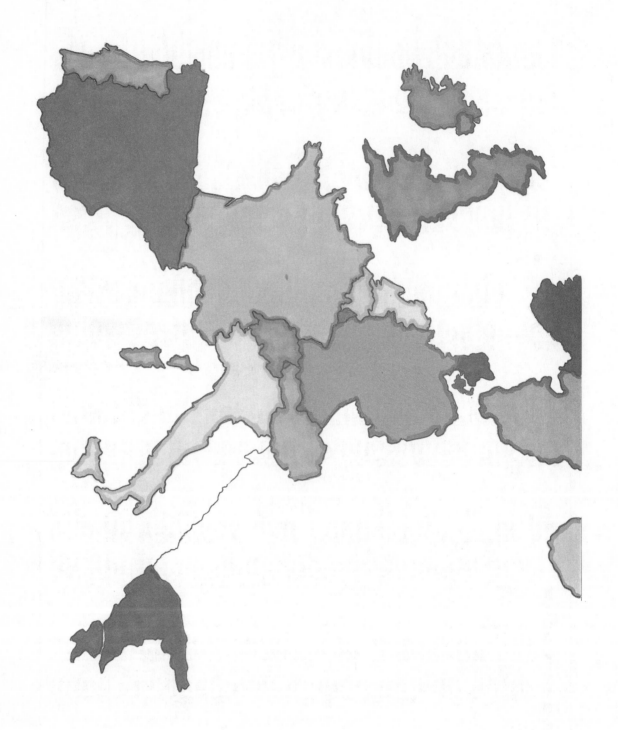

Activities for Proficiency

Professions

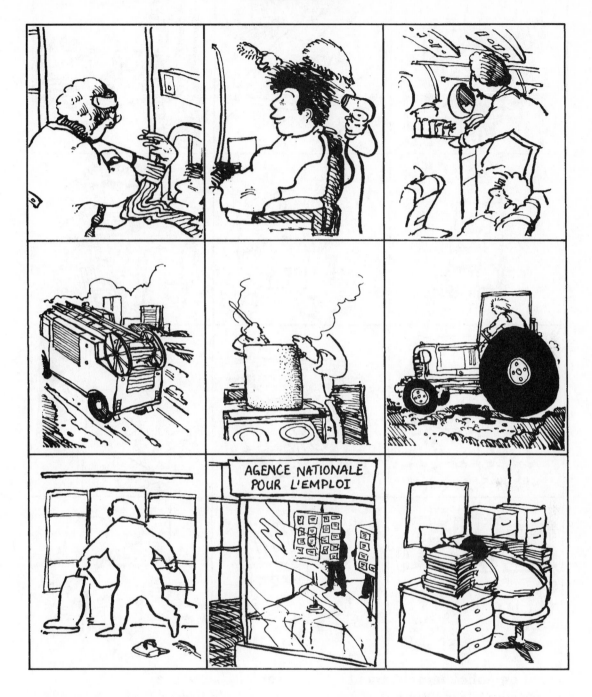

agriculteur/agricultrice
chef de cuisine
coiffeur/coiffeuse
chômeur/chômeuse
employé/employée de bureau
femme/homme au foyer
hôtesse de l'air/steward

infirmier/infirmière
médecin/femme médecin
pompier

un bureau
une ferme
un hôpital
à la maison

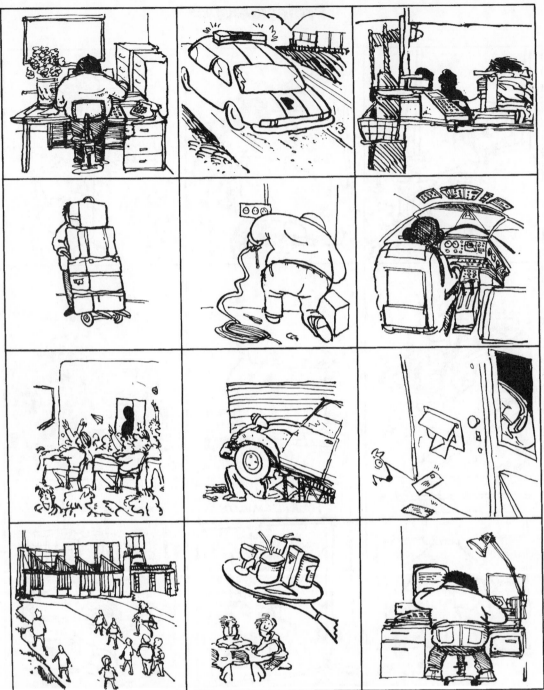

agent de police/femme agent
électricien/électricienne
facteur/factrice
garagiste
opérateur/opératrice
programmeur/programmeuse
ouvrier/ouvrière
pilote
porteur
professeur
secrétaire

serveur/serveuse
caissier/caissière

un café
un collège/lycée
un garage
une gare
un supermarché
une société (d'assurances/financière)
une usine

Petites annonces

LE 50ème Chantegrill
Restaurant · Café

OUVRE SUR LE PARVIS DE LA DÉFENSE ET RECRUTE
Pour le 10 Août

Cuisinier

Age : 19-25 ans. CAP cuisine.
Evolution garantie pour personne motivée.

Pour ce poste, envoyer CV + photo à
CHANTEGRILL
BP 40
92990 LA DEFENSE CEDEX

Ingénieur Technico-Commercial
BILINGUE ALLEMAND

Formation : Technique, Bac + 5.
Expérience : Débutant ou première expérience.
Mission : Après formation en Allemagne,
suivi technique et commercial de projets
dans différents domaines comme
l'aéronautique, la chimie, ou l'ingénierie.

Très bonnes perspectives d'évolution si capable.

Envoyer C.V. + lettre + prétentions sous la référence
TC à : **WITZENMANN**, Boîte Postale 94,
77314 Marne-La-Vallée ou par fax au : **01.60.17.28.61.**

PRB communication

Paris 12ème recherche serveur **professionnel très expérimenté**, excellente **présentation**, bilingue (anglais), 2 services. ☎ 01.43.45.63.00.

Filiale industrielle d'un très grand groupe recherche son

Comptable unique

env. Soissons

Rattaché au responsable administratif et financier, vous prendrez en charge l'ensemble des obligations comptables de la société. Vous participerez à l'élaboration du reporting et établirez la paye ainsi que les déclarations sociales.
Pour ce poste, nous recherchons un collaborateur de 30 ans environ, de formation supérieure en comptabilité de type DECF ou BTS et justifiant d'une expérience réussie de 4 à 6 ans à un poste comptable. La connaissance d'une entreprise industrielle est impérative pour cette fonction.
Anglais opérationnel exigé.

CV + photo + n° de tél + rém. actuelle à **Didier Cloix,** ge Finance & Comptabilité, 3 bd Bineau 92594 Levallois- u taper votre CV sur 3617 MPage *(Corniche 3,42F/Min)* sous réf. : DC11710

Michael Page Finance & Comptabilité
Le spécialiste du recrutement Financier et Comptable

Maisons de Retraite Médicalisée
RÉSIDENCES MAPI
RECHERCHENT

INFIRMIERS D.E. ou PSY SALARIÉS H/F

Travail en équipe de jour.
Conditions attractives.

Paris Amandiers (20e) : 01 43 58 90 00
Paris St-Simon (20e) : 01 44 93 63 00
Le Bourget (93) : 01 48 38 74 00
Bondy (93) : 01 48 02 38 00
Sarcelles (95) : 01 39 92 72 00
Rueil Malmaison (92) : 01 47 16 62 00

COIFFURE

RECH. COIFFEUSE MIXTE pour remplacement. Env CV + photo CATHY COIFFURE place des 2 Catalognes VILLENEU-VE/RAHO 66180.

Importante institution, région limousin recherche pour deux de ses cabinets dentaires

des Chirurgiens Dentistes

Ces postes, dont l'un est à mi temps, sont situés dans des villes de moyenne importance. Rémunération très intéressante en % du CA réalisé.
Merci d'adresser une lettre manuscrite + CV + photo au

Cabinet ASSORGRAF
BP 18 - 38640 CLAIX.
(Confidentialité assurée).

La France I

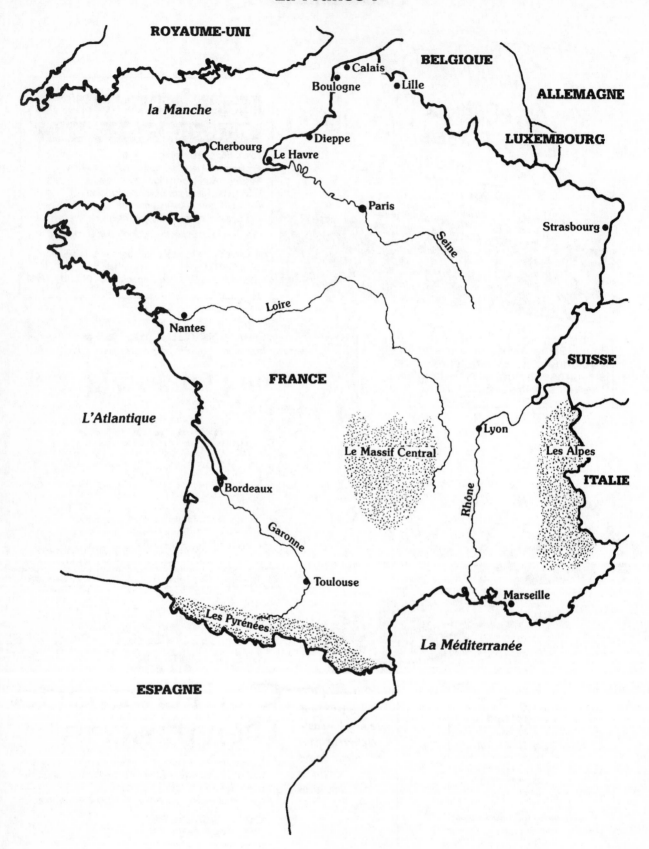

ROYAUME-UNI

BELGIQUE

• Calais

Boulogne •

• Lille

ALLEMAGNE

la Manche

LUXEMBOURG

• Dieppe

Cherbourg •

• Le Havre

• Paris

Strasbourg •

Seine

Loire

Nantes •

FRANCE

SUISSE

L'Atlantique

Le Massif Central

• Lyon

Les Alpes

ITALIE

• Bordeaux

Rhône

Garonne

• Toulouse

• Marseille

Les Pyrénées

La Méditerranée

ESPAGNE

Activities for Proficiency

C'est à toi!
Level One
©EMC

La France II

Départements

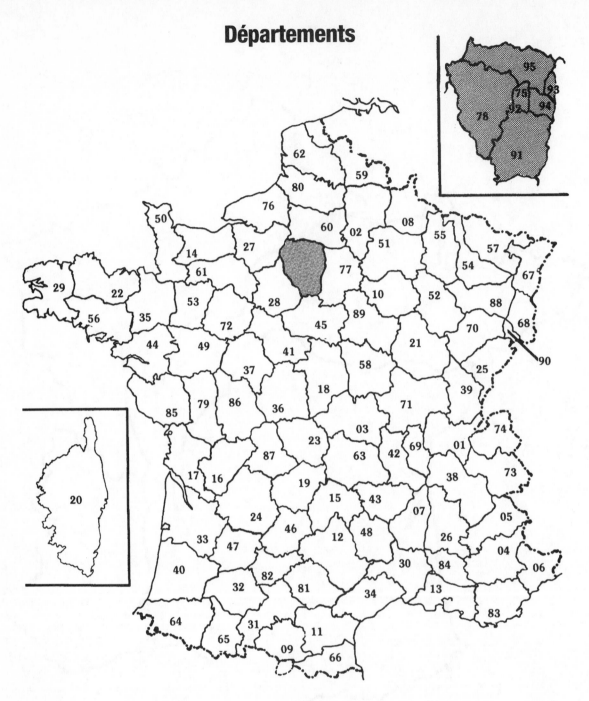

Ain	01	Doubs	25	Maine-et-Loire	49	Savoie	73
Aisne	02	Drôme	26	Manche	50	Savoie (Haute-)	74
Allier	03	Eure	27	Marne	51	Seine	75
Alpes (Basses-)	04	Eure-et-Loir	28	Marne (Haute-)	52	Seine-Maritime	76
Alpes (Hautes-)	05	Finistère	29	Mayenne	53	Seine-et-Marne	77
Alpes-Maritimes	06	Gard	30	Meurthe-et-Moselle	54	Seine-et-Oise	
Ardèche	07	Garonne (Haute-)	31	Meuse	55	et Yvelines	78
Ardennes	08	Gers	32	Morbihan	56	Sèvres (Deux-)	79
Ariège	09	Gironde	33	Moselle	57	Somme	80
Aube	10	Hérault	34	Nièvre	58	Tarn	81
Aude	11	Ille-et-Vilaine	35	Nord	59	Tarn-et-Garonne	82
Aveyron	12	Indre	36	Oise	60	Var	83
Bouches-du-Rhône	13	Indre-et-Loire	37	Orne	61	Vaucluse	84
Calvados	14	Isère	38	Pas-de-Calais	62	Vendée	85
Cantal	15	Jura	39	Puy-de-Dôme	63	Vienne	86
Charente	16	Landes	40	Pyrénées-Atlantiques	64	Vienne (Haute-)	87
Charente-Maritime	17	Loir-et-Cher	41	Pyrénées (Hautes-)	65	Vosges	88
Cher	18	Loire	42	Pyrénées-Orientales	66	Yonne	89
Corrèze	19	Loire (Haute-)	43	Rhin (Bas-)	67	Belfort (Terr. de)	90
Corse	20	Loire-Atlantique	44	Rhin (Haut-)	68	Essonne	91
Côte-d'Or	21	Loiret	45	Rhône	69	Hauts-de-Seine	92
Côtes-du-Nord	22	Lot	46	Saône (Haute-)	70	Seine-St-Denis	93
Creuse	23	Lot-et-Garonne	47	Saône-et-Loire	71	Val-de-Marne	94
Dordogne	24	Lozère	48	Sarthe	72	Val-d'Oise	95

C'est à toi!
Level One
©EMC

Saisons

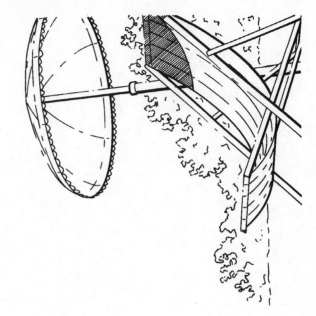

En été

Au printemps

En automne

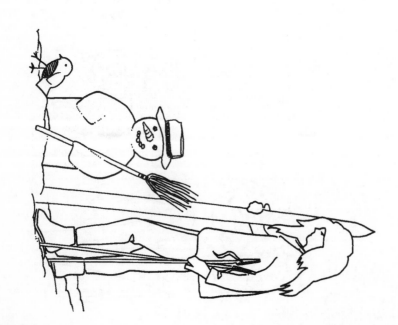

En hiver

Activities for Proficiency

Quel temps fait-il?

il fait beau   il fait du brouillard   il y a de l'orage

il fait chaud   il fait du soleil   il pleut

il fait froid   il fait du vent   il gèle

il fait mauvais   il y a des nuages   il neige

Symboles météorologiques

Ensoleillé	☀	☁🌧	**Averses**
Éclaircies	🌤	/////	**Pluies**
Nuageux	🌤	⛈	**Orages**
Très nuageux	☁	❄	**Neige**
Couvert	☁	➡	**Verglas**
Bruine	/////	≈≈≈	**Brumeux**

Activities for Proficiency

C'est à toi!
Level One
©EMC

Météo

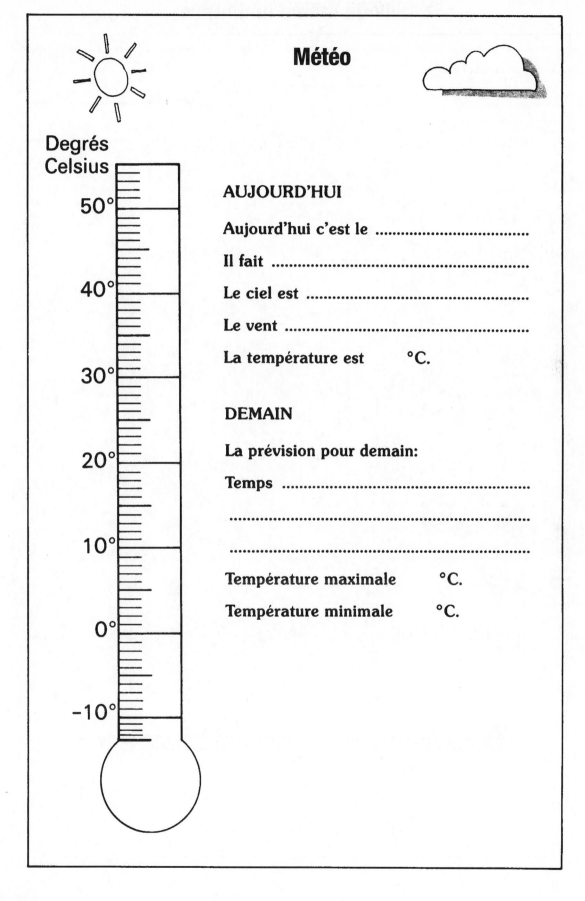

Degrés Celsius

50°
40°
30°
20°
10°
0°
−10°

AUJOURD'HUI

Aujourd'hui c'est le ....

Il fait ....

Le ciel est ....

Le vent ....

La température est   °C.

DEMAIN

La prévision pour demain:

Temps ....

....

....

Température maximale   °C.

Température minimale   °C.

Le bulletin météo en France

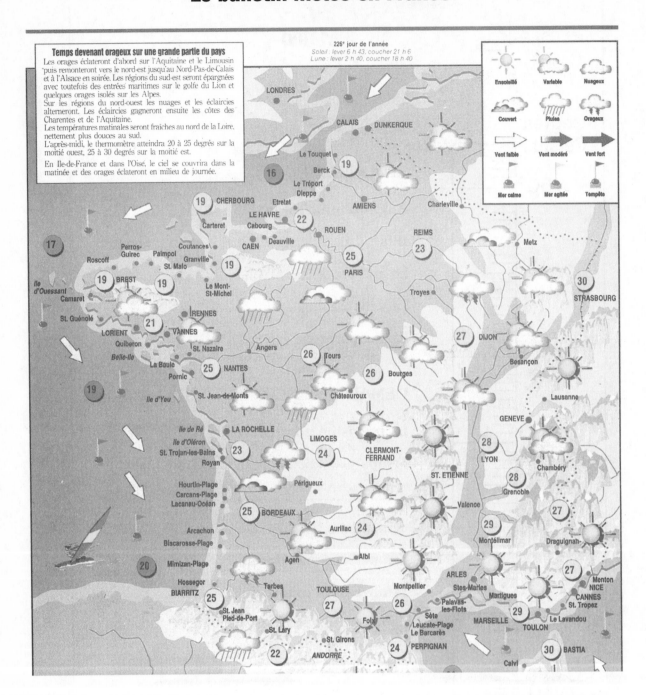

Temps devenant orageux sur une grande partie du pays

Les orages éclateront d'abord sur l'Aquitaine et le Limousin puis remonteront vers le nord-est jusqu'au Nord-Pas-de-Calais et à l'Alsace en soirée. Les régions du sud-est seront épargnées avec toutefois des entrées maritimes sur le golfe du Lion et quelques orages isolés sur les Alpes.

Sur les régions du nord-ouest les nuages et les éclaircies alterneront. Les éclaircies gagneront ensuite les côtes des Charentes et de l'Aquitaine.

Les températures matinales seront fraîches au nord de la Loire, nettement plus douces au sud.

L'après-midi, le thermomètre atteindra 20 à 25 degrés sur la moitié ouest, 25 à 30 degrés sur la moitié est.

En Ile-de-France et dans l'Oise, le ciel se couvrira dans la matinée et des orages éclateront en milieu de journée.

226e jour de l'année
Soleil : lever 6 h 43, coucher 21 h 6
Lune : lever 2 h 40, coucher 18 h 40

Ensoleillé Variable Nuageux

Couvert Pluies Orageux

Vent faible Vent modéré Vent fort

Mer calme Mer agitée Tempête

Vêtements

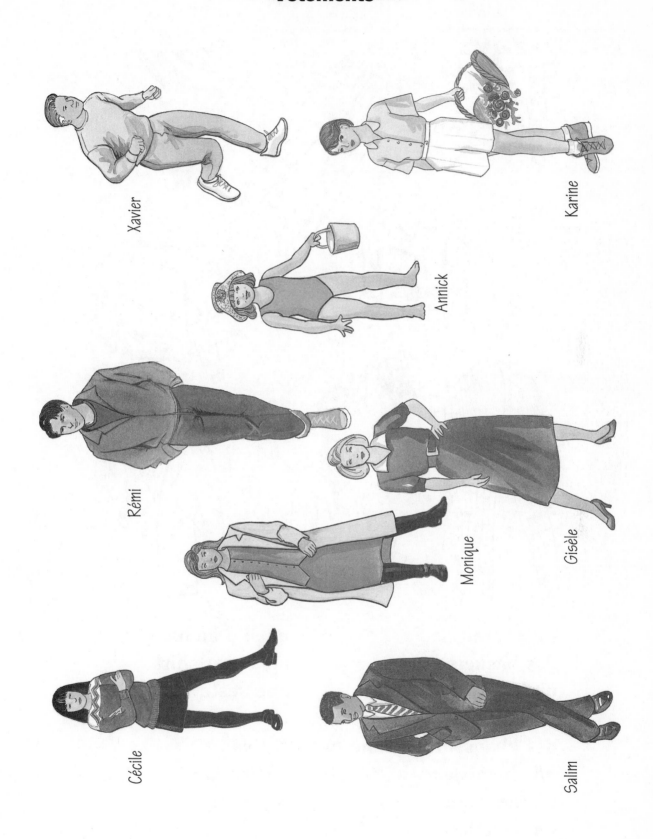

Xavier

Karine

Annick

Rémi

Monique

Gisèle

Cécile

Salim

Poupées en papier

un anorak	un slip de bain
des baskets	un sweat-shirt
un blouson	une veste
un chapeau	
des chaussures d'homme	à *pois*
un chemisier	à *carreaux*
un manteau	*rayé(e)(s)*
un pantalon	

des chaussettes	un pyjama
des chaussures de femme	un survêtement
une chemise	un tee-shirt
un imperméable	
un jean	*à pois*
une jupe	*à carreaux*
un maillot de bain	*rayé(e)(s)*
un pull	

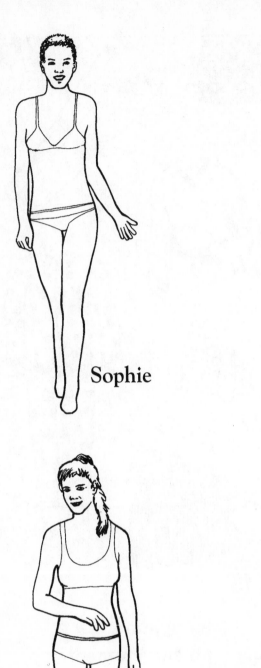

Sophie

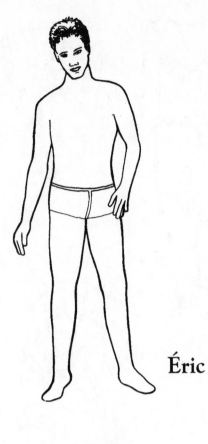

Éric

Mme Dupont

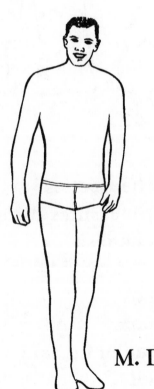

M. Dupont

Vêtements pour filles

pour celle qui préfère le côté branché plus "techno", tout un choix de matières, de formes ou d'imprimés nouveaux

G l'ÉLISA en 126 cm **60.83 €**

I le 126 cm **15.09 €**

K le 126 cm **19.67 €**

H le BI-LY en 126 cm **41.01 €**

L le YOSU en 126 cm **41.01 €**

J le 126 cm **53.20 €**

sandales p. 538

sandales p. 530

Vêtements pour garçons

côtes à l'encolure et aux poignets. En molleton 80 % coton, 20 % polyester.
marine 657.4602
ciel 657.4416
gris 657.4378

B Le sweat ras de cou QUIKSILVER. Base droite avec grande sérigraphie au dos. Badge poitrine. Finition bords

C La casquette de QUIKSILVER. Tour de tête réglable. Logo brodé devant. En toile pur coton, sable
657.5420 **24.24€**

D Le coupe-vent zippé de QUIKSILVER. Double passepoil contrastant devant, au dos et sur les manches. Capuche intérieur col avec lien de serrage et stoppers. Petite broderie poitrine et une grande au dos. 100 % polyamide.
marine 657.5412
ciel 657.5196

E Le pantalon en bâchette de QUIKSILVER. Ceinture à passants fermée par sangle. Braguette zippée. Devant, 2 poches cargo à soufflets, au dos 2 poches à soufflets, les quatre avec rivets métal. Pur coton.
beige 649.5699
marine 649.6687
kaki 649.6725

F Le T-shirt ras de cou de QUIKSILVER. Petite sérigraphie devant et 1 grande au dos. Finition bord côtes aux manches courtes. En pur coton.
beige 657.3843
blanc 657.3738
ciel 657.4009
marine 657.4270

G Le Bermuda de QUIKSILVER en fine bâchette toucher peau de pêche. Broderie base jambe. Taille élastiquée avec lacet intérieur. Fausse braguette boutonnée. 2 poches côté et 1 poche dos passepoilée fermée par lichette. Pur coton.
1- mastic 645.2388
2- beige 643.3189
3- marine 645.2434

24.24 €

le 126 cm
37.96 €

le 126 cm
60.83 €

le 126 cm
54.73 €
soit

le 126 cm
15.09
soit

le 126 cm
41.01 €

DOS FACE FACE DOS DOS FACE

QUIKSILVER
The Boardriding Company®

QUIKSILVER

Pour payer, **c'est vous qui choisissez !**
voir p.1179

PAGE VERTE
542

1 2 3

Bon de commande

Frais d'expédition

Union Européenne	5%*
Reste de l'Europe Afrique du nord	10%*
Afrique Moyen-Orient Amérique Asie	15%*
Océanie Iles du pacifique	25%*

* du montant TTC des articles facturés

Bon de Commande

LA REDOUTE 59081 ROUBAIX CEDEX 2 FRANCE - TÉLÉCOPIE : 03 20 26 43 75

N° DE CLIENT
(SI VOUS EN AVEZ UN)

A REMPLIR EN LETTRES CAPITALES

NOM   PRENOM

ADRESSE

CODE POSTAL   COMMUNE

PAYS   TEL.

DESIGNATION DES ARTICLES	REFERENCE	CODE OU TAILLE	QUANTITE	PRIX DE L'UNITE	MONTANT
EXEMPLE : LOT DE 3 T-SHIRTS	0 1 6 3 4 5 8	38/40	2,	9 0,0 0	1 8 0,0 0
			,	,	,
			,	,	,
			,	,	,
			,	,	,
			,	,	,
			,	,	,
			,	,	,
			,	,	,
			,	,	,
			,	,	,
			,	,	,
			,	,	,
			,	,	,

VOTRE MODE DE PAIEMENT
Vous devez régler la totalité de vos achats à la commande

☐ PAR CARTE DE PAIEMENT (VISA, EUROCARD, MASTERCARD)
(n'oubliez pas d'inscrire son n° et de signer)

DATE D'EXPIRATION DE VOTRE CARTE BANCAIRE

SIGNATURE

☐ PAR MANDAT INTERNATIONAL AU NOM DE LA REDOUTE

☐ PAR CHEQUE AU NOM DE LA REDOUTE

☐ PAR CHEQUE DE REMBOURSEMENT REDOUTE

MONTANT DE LA COMMANDE		,
DÉDUISEZ LA DÉTAXE 17,08% (SAUF UNION EUROPÉENNE)	−	,
FRAIS D'EXPÉDITION (SELON LES PAYS)	+	,
PARTICIPATION FORFAITAIRE (PORT, EMBALLAGE, CONFECTION DU COLIS)	+	3 0,0 0
TOTAL		,

LA REDOUTE VOUS REMERCIE DE VOTRE COMMANDE

A NOTER : nous n'acceptons pas les paiements en espèces

S.A. LA REDOUTE 57, RUE DE BLANCHEMAILLE 59081 ROUBAIX CEDEX 2 ▪ TEL 03 20 69 84 84 ▪ CAPITAL 276 878 500F ▪ RCS ROUBAIX - TOURCOING B 477 180 186   Z910900

Emplacement des rayons (Printemps)

EMPLACEMENT DES RAYONS

A

RAYONS	MAGASIN	ETAGE
Accessoires animaux	mode	6
Accessoires femme	mode	RC - 1
Accessoires homme	Brummell	RC
Accueil information	mode	RC
	maison	RC
Agence de théâtre et de voyages	mode	6
Articles de bureau	maison	SS

B

RAYONS	MAGASIN	ETAGE
Baby	mode	5
Bagages	mode	6
Bas - collants	mode	RC
Bijouterie fantaisie	mode	RC
Billeterie spectacle	mode	3
	maison	3
	Brummell	RC
Boutique blanche (liste de mariage)	maison	2
Boutique heureuse (liste de naissance)	mode	5
Briquets	mode	RC
	Brummell	RC
Brummell club	Brummell	4
Bureau de poste	mode	SS

C

RAYONS	MAGASIN	ETAGE
Cadeaux (liste de)	maison	2
Café flo	mode	6
Carnets d'achats (caisse)	mode	SS
Carte printemps	mode	RC-3-5
	maison	RC - 3
	Brummell	RC - 3
Ceintures pour homme	Brummell	RC
Ceintures pour femme	mode	RC
Change	mode	SS
Change bébés	mode	5 - 6
	maison	3
Chapeaux pour femme	mode	RC
Chapeaux pour homme	Brummell	RC
Chaussettes pour homme	Brummell	SS
Chaussures femme	mode	1
Chaussures enfant	mode	5
Chaussures homme	Brummell	4
Chaussures d'appartement homme	Brummell	SS
Chemises	Brummell	1
Chemisiers	mode	2 - 3 - 4
Coiffure (salon J.L. David)	mode	4
Consigne 24h sur 24	mode	107 Provence
Costumes	Brummell	4

RAYONS	MAGASIN	ETAGE
Couettes et couvertures	maison	4
Coupole haussmann	mode	7
Couturiers	mode	4
Créateurs	mode	2
Coussins	maison	7
Cravates	Brummell	RC

D

RAYONS	MAGASIN	ETAGE
Danse (vêtements - accessoires)	mode	SS
Détaxe	mode	RC - 3 - 5
	maison	RC - 3
	Brummell	RC - 3
Département entreprises	maison	3
Disques, compacts, cassettes	maison	SS

E

RAYONS	MAGASIN	ETAGE
Eclairage	maison	6
Electro ménager	maison	1
Encadrement	maison	SS
Enfants : de 0 à 16 ans	mode	5
Express duty free	mode	RC

F

RAYONS	MAGASIN	ETAGE
Fleurs artificielles	maison	7
Foulards femme	mode	RC - 1
Foulards homme	Brummell	RC
Fournitures d'ameublement	maison	7
Future maman	mode	5
Fumeurs (boutique)	Brummell	RC

G

RAYONS	MAGASIN	ETAGE
Gants femme	mode	RC - 1
Gants homme	Brummell	RC
Garde fourrure		5

H

RAYONS	MAGASIN	ETAGE
Horlogerie	mode	RC

I

RAYONS	MAGASIN	ETAGE
Imperméables femme	mode	5
Imperméables homme	Brummell	3
Imprimerie, carte de visite	maison	SS
Information	Brummell	RC
	mode	RC
	maison	RC
Institut de beauté Y. Rocher	mode	4

J

RAYONS	MAGASIN	ETAGE
Jean-Louis David coiffure	mode	4
Jeans femme	mode	3
Jeans homme	Brummell	2
Joaillerie	mode	RC - 1
Jouets - jeux de société	maison	3
Juniors (confection)	mode	3
Jupes	mode	2 - 3 - 4

L

RAYONS	MAGASIN	ETAGE
La poste	mode	SS
Lampes et lampadaires	maison	6
Layette	mode	5
Librairie	maison	SS
Linge de lit	maison	4
Linge de table	maison	4
Linge de toilette	maison	4
Lingerie femme	mode	SS
Listes de mariage (boutique blanche)	maison	2
Lits - literie	maison	5
Lunettes solaires	mode	RC

M

RAYONS	MAGASIN	ETAGE
Machine à coudre	mode	6
Maillots de bain femme	mode	SS
Mailllots de bain homme	Brummell	SS
Manteaux	mode	2 - 3 - 4 - 5
Maroquinerie	mode	RC - 1
Mercerie	mode	6
Mesure brummell	Brummell	4
Meubles contemporains	maison	5
Meubles classiques	maison	6
Miroiterie	maison	5 - 6
Montre service	mode	RC

O

RAYONS	MAGASIN	ETAGE
Objets trouvés	mode	SS
Orfèvrerie	maison	2
Ouvrages de dames	mode	6

P

RAYONS	MAGASIN	ETAGE
Pantalons femme	mode	2 - 3 - 4
Pantalons homme	Brummell	3
Papeterie	maison	SS
Papiers peints	maison	7
Parapluies femme	mode	RC
Parapluies homme	Brummell	RC
Pardessus	Brummell	3
Parfumerie	maison	RC
Parfums	mode	RC
Passementerie ameublement	maison	7
Perruques	maison	RC
Pont d'argent	mode	7
Porcelaine	maison	2
Primavera	maison	8
Printemps Mode Conseil	mode	2
Puériculture	mode	5
Pulls femme	mode	2 - 3 - 4
Pulls homme	Brummell	RC - 1
Pyjamas homme	Brummell	SS

R

RAYONS	MAGASIN	ETAGE
Rasoirs	maison	RC
Réclamations (service relations clientèle)	maison	6
Restaurant "café flo"	mode	6
"Le Petit flo"	mode	3
"flo brasserie"	mode	6
"la terrasse"	maison	9
Rideaux et voilages	maison	7
Robes	mode	2 - 3 - 4
Robes de mariée		
Pronuptia	mode	5

S

RAYONS	MAGASIN	ETAGE
Salle de bain (accessoires)	maison	4
Sàlon de coiffure j.l. david	mode	4
Salon de thé - café flo	mode	6
Service relations clientèle (réclamations)	maison	6
Sous-vêtements homme	Brummell	SS
Souvenirs de paris	mode	RC - 6
Sport : détente	Brummell	SS
Stores	maison	7

T

RAYONS	MAGASIN	ETAGE
Tailleurs	mode	2 - 3 - 4
Takashimaya	mode	RC
Tapis - tapis d'orient	maison	6
Théâtre et voyages (agence)	mode	6
Tissus d'ameublement	maison	7
Toilettes femme	mode	1 - 3 - 4 - 6
	maison	1 - 3 - 5 - 6
	Brummell	1 - 2 - 3
Toilettes homme	mode	1 - 3 - 4 - 6
	maison	2 - 4 - 6
	Brummell	1 - 2 - 3
Travaux photo	maison	SS

V

RAYONS	MAGASIN	ETAGE
Verrerie	maison	1 - 2
Vestes et pantalons	Brummell	3
Vestiaire	mode	SS-RC-3-5
	maison	RC - 3
	Brummell	RC - 3
Vêtements de détente homme	Brummell	2
Vêtements de cuir homme	Brummell	2
Voyages (agence de théâtre et de voyages)	mode	6
Voyages (bagages, valises)	mode	6

W

RAYONS	MAGASIN	ETAGE
Welcome service	mode	RC

Couleurs

orange

rose

gris

violet

noir

jaune

vert

marron

rouge

blanc

bleu

Ballons
1,25€

Nourriture

du beurre
un bifteck
des biscuits
du bœuf
du café
des chips
de la confiture

de l'eau minérale
du fromage
un gâteau
une glace
du jambon
du poisson
un poulet

du riz
de la salade
du saucisson
de la soupe en sachet
du sucre
un yaourt

Faisons les courses!

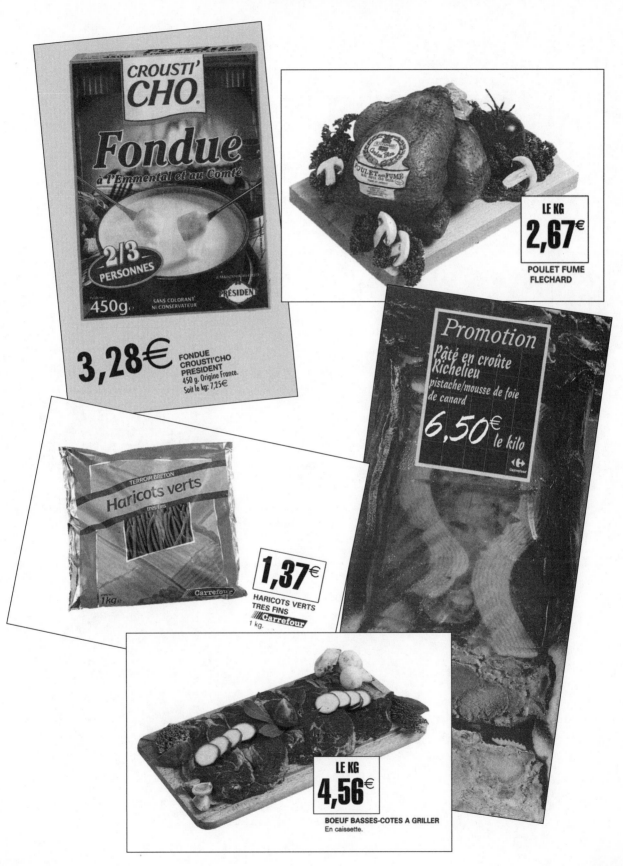

CROUSTI' CHO.

Fondue
à l'Emmental et au Comté

2/3 PERSONNES

450g.

SANS COLORANT
NI CONSERVATEUR

PRÉSIDENT

3,28€ FONDUE
CROUSTI'CHO
PRESIDENT
450 g. Origine France.
Soit le kg: 7,25€

LE KG
2,67€

POULET FUME
FLECHARD

Promotion
Pâté en croûte
Richelieu
pistache/mousse de foie
de canard
6,50€ *le kilo*

Carrefour

TERROIR BRETON
Haricots verts
très fins

Carrefour
1kg.

1,37€ HARICOTS VERTS
TRES FINS
Carrefour
1 kg.

LE KG
4,56€

BOEUF BASSES-COTES A GRILLER
En caissette.

BEURRIER
Bridélice
le beurrier de 250 g
soit le kg : 3,96€

0,99€

MELON
France
la pièce

1,51€

1,71€

PIZZA PATE FINE
JAMBON/FROMAGE/OLIVES
FINDUS
380 g
Soit le kg : 4,49€

YAOURTS AUX FRUITS
DANONE
16 x 125 g.
Soit le kg : 1,52€

3,04€

LE PLATEAU
DE 20

2,43€

OEUFS FRAIS LUSTUCRU
Calibre 65/70
Soit l'oeuf : 0,12€

4,56€

TARTE VERGEOISE AUX POMMES
FABRICATION CARREFOUR
6 personnes.

Activities for Proficiency

C'est à toi!
Level One
©EMC

Au supermarché

Expressions de quantité

une barquette de ...

une boîte de ...

une bouteille de ...

une douzaine de ...

500 grammes de ...

un kilo de ...

un litre de ...

un morceau de ...

un paquet de ...

un pot de ...

une tranche de ...

un tube de ...

un verre de ...

Au marché

Légumes et fruits

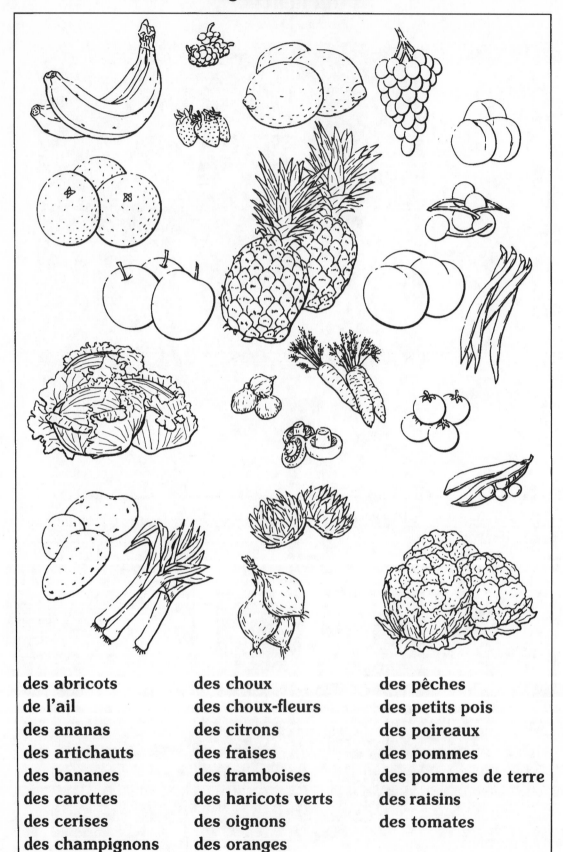

des abricots	des choux	des pêches
de l'ail	des choux-fleurs	des petits pois
des ananas	des citrons	des poireaux
des artichauts	des fraises	des pommes
des bananes	des framboises	des pommes de terre
des carottes	des haricots verts	des raisins
des cerises	des oignons	des tomates
des champignons	des oranges	

Activities for Proficiency

Aux magasins

la boulangerie
la boutique de vêtements
le bureau de tabac
la charcuterie
la crémerie
le grand magasin

le magasin de chaussures
le magasin de sports
le marchand de fruits et légumes
la parfumerie
la pâtisserie
la pharmacie

Fiche de cuisine

Recette: _____

Ingrédients

<table><tr><td></td><td>Illustration</td></tr></table>

Marche à suivre

Temps de préparation

Temps de cuisson ou de réfrigération

Résultat / Réaction / Opinion

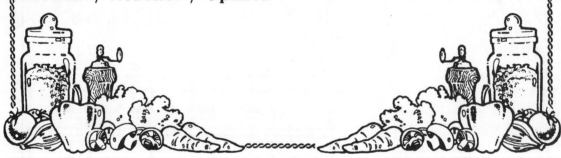

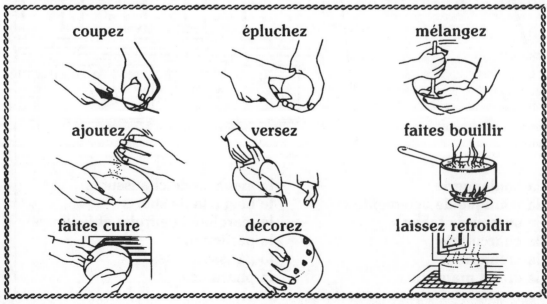

coupez   épluchez   mélangez

ajoutez   versez   faites bouillir

faites cuire   décorez   laissez refroidir

Risotto aux légumes

Pour 4 personnes. Préparation et cuisson: 30 mn

Ingrédients:
- 200 g de riz
- 1 boîte de petits pois de 135 g
- 125 g de champignons
- 2 petites carottes
- 2 branches de persil
- 1 tomate
- 1 oignon
- 100 g de vieux cantal
- 50 cl de bouillon de volaille
- 3 cuil à soupe d'huile
- sel
- poivre

1. Ôtez la partie sableuse du pied des champignons. Lavez-les, épongez-les et coupez-les en lamelles. Pelez les carottes, lavez-les, coupez-les en deux dans la longueur et passez-les sur une râpe à chips. Épluchez l'oignon et hachez-le.

2. Faites chauffer l'huile dans une sauteuse. Jetez-y oignon, carottes et champignons. Mélangez, couvrez et laissez cuire à feu doux pendant 10 mn.

3. Pendant ce temps, faites chauffer le bouillon. Égouttez les petits pois. Pelez la tomate et hachez-la. Lavez le persil, épongez-le et hachez-le.

4. Ajoutez le riz dans la sauteuse. Mélangez pendant 1 mn à la spatule. Arrosez avec le bouillon très chaud. Salez légèrement et poivrez. Ajoutez la tomate, couvrez et laissez cuire pendant 15 mn, sans remuer.

5. Après 15 mn de cuisson, ajoutez au riz les petits pois et le persil. Laissez cuire encore 5 mn.

6. Râpez le cantal. Lorsque la cuisson est achevée, parsemez le riz de cantal. Mélangez délicatement, versez dans un plat creux et servez sans attendre.

Salade de fruits exotiques

Pour 4 personnes. Préparation: 15 mn. Réfrigération: 1 h

Ingrédients:
- 2 mangues moyennes
- $\frac{1}{2}$ ananas
- 3 kiwis
- 250 g de fraises
- 2 cuil à soupe de Cointreau
- 4 cuil à soupe de liqueur de café
- $\frac{1}{4}$ de cuil à café de vanille en poudre

1. Pelez les mangues et coupez-les en lamelles, tout autour du noyau. Recoupez ces lamelles en 2 ou en 3 morceaux. Pelez l'ananas. Retirez le centre dur et fibreux, et les "yeux" qui auraient pu rester. Coupez la chair en dés. Pelez les kiwis et coupez-les en lamelles. Lavez les fraises, épongez-les et équeutez-les. Coupez-les en deux.

2. Mettez tous les fruits dans une coupe en verre. Poudrez-les de vanille. Arrosez avec la liqueur de café et le Cointreau. Laissez macérer au frais pendant au moins 1 h. Servez très frais.

Vous pouvez préparer un dessert toujours très apprécié en entourant une glace ou un sorbet d'une salade de fruits, hiver comme été.

Activities for Proficiency

À la maison

Plan de maison

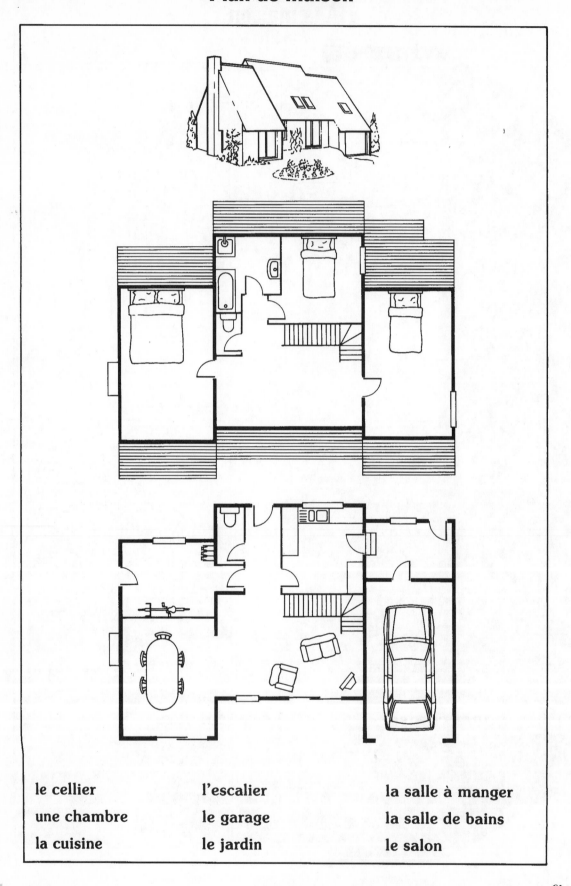

le cellier	l'escalier	la salle à manger
une chambre	le garage	la salle de bains
la cuisine	le jardin	le salon

La chambre I

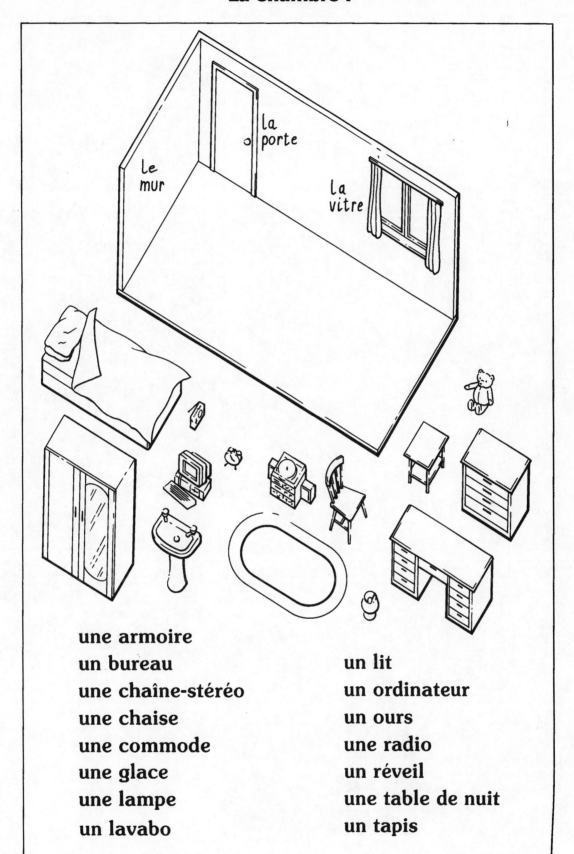

une armoire
un bureau
une chaîne-stéréo
une chaise
une commode
une glace
une lampe
un lavabo

un lit
un ordinateur
un ours
une radio
un réveil
une table de nuit
un tapis

La chambre II

D **Le style Louis-Philippe.** Classique et intemporel. Ses finitions parfaites lui ont valu le certificat de qualité Valeur Sûre. **Caractéristiques communes :** Dessus, façades et côtés en panneaux de particules plaqués merisier véritable traité ébénisterie. Socle et corniche en tulipier et hêtre, moulures en ramin verni polyuréthane, teinté merisier. Livré prêt à monter, notice jointe.

Le lit. Dosserets en hêtre et panneaux plaqués merisier et aniégré, de forme galbée. Longs pans plaqués hêtre verni polyuréthane, teinté merisier. Dim. hors tout : larg. 97 ou 147 x 210 cm, ou 167 x 220 cm. Haut. tête 94 cm.

● **Version avec pied de lit** (haut. 75 cm).
teinté merisier 436.6549
090 90 x 190 cm   **379,60€**
140 140 x 190 cm   **455,82€**
160 160 x 200 cm   **547,29€**

● **Version sans pied de lit.**
teinté merisier 830.9620
140 140 x 190 cm   **379,60€**
160 160 x 200 cm   **455,82€**

La commode. 3 grands tiroirs. Dessus panneau MDF (fibre moyenne densité) plaqué merisier. Dim. hors tout : larg. 103, haut. 82, prof. 52 cm. Livrée montée.
437.3766   **379,60€**

Le chevet. 1 porte, 1 étagère amovible. Dim. hors tout : larg. 40, haut. 68, prof. 33,5 cm.
437.3731   **150,92€**

Les armoires. Penderie et lingère avec 3 étagères amovibles. Arrière en panneaux de fibres. Fermeture des portes par charnières à rappel. Serrure à tringle 3 points. Dim hors tout : haut. 193, prof. 62 cm.

● **2 portes.** 1/2 penderie. 1/2 lingère. Larg. 118,5 cm.
437.3740   **608,27€**

● **3 portes.** 2/3 penderie. 1/3 lingère. Larg. 171 cm.
437.3758   **760,72€**

LA CHAMBRE

le lit version sans pied de lit à partir de **379,60€**

la commode **379,60€**

en 140 x 190 cm

le chevet **150,92€**

D LE LIT À PARTIR DE **379,60€** STYLE LOUIS-PHILIPPE

l'armoire à partir de **608,27€**

VALEUR SÛRE

C **Les bureaux double caisson** (8 tiroirs) **ou simple caisson** (5 tiroirs) à un prix exceptionnel. Structure en pin massif et latté plaqué pin, naturel ou teinté rustique verni polyuréthane. Livré prêt à monter.

Le bureau double caisson : 1 caisson 4 tiroirs, 1 caisson 2 tiroirs + 1 tiroir pour dossiers suspendus (vendus p. 994) et 1 tiroir central. Larg. hors tout 140, haut. 76, prof. 61 cm.

teinté rustique 368.1564   **266,79€**
naturel 368.1556   **242,39€**

Le bureau simple caisson : 4 tiroirs et 1 large tiroir sous le plateau. Larg. hors tout 106, haut. 76, prof. 50 cm.

teinté rustique 580.1656   **166,93€**
naturel 580.1648   **151,69€**

Le salon I

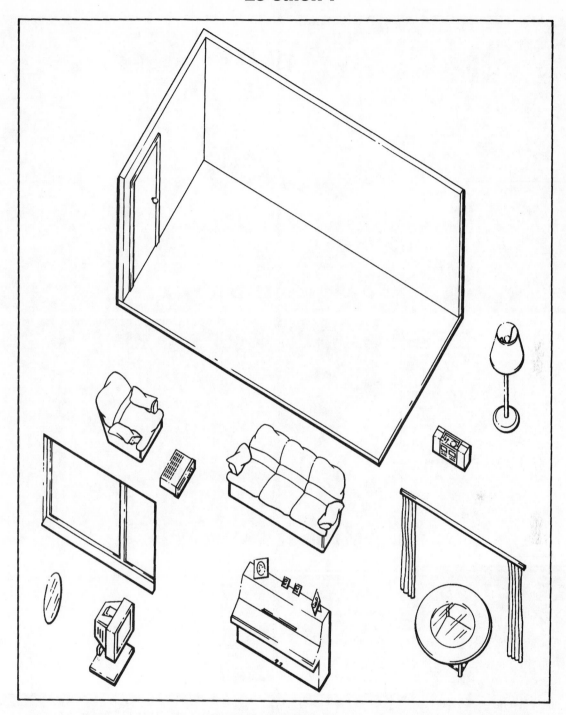

un canapé
un fauteuil
une fenêtre
une glace

une lampe
un lecteur de DVD
des photos
un piano

un poste de télévision
les rideaux
une stéréo
une table

Le salon II

FIXE OU TRANSFORMABLE

B A PARTIR DE
434,48€
COUSSINS MOELLEUX

ROMANEX
Scotchgard
Protection textile

B Soirée entre amis ou soirée télé, ce canapé 2 ou **3 places** toujours accueillant grâce à ses confortables coussins, est recouvert d'un tissu d'ameublement BOUSSAC ROMANEX en 6 coloris unis, tissage reps, 320 g/m² 100% coton traité SCOTCHGARD (notice d'entretien jointe, voir p.939). Structure bois et panneaux de particules enrobée mousse polyéther, sur pieds. 2 coussins d'assise pleine mousse polyéther garnis ouate polyester (densité 19 kg/m²). 2 coussins dossier, 2 coussins accoudoirs garnis mousse polyéther. Dim. hors tout communes haut 80, prof 82 cm. Ech. tissu HE 733.
Le canapé 2 places : larg. hors tout 170 cm, version transformable (l'assise se déplie pour former le matelas) couchage 132 x 190 cm.
Le canapé 3 places : larg. hors tout 190 cm, version transformable couchage 152 x 190 cm.

vert tendre	673.3999
noisette	673.3875
bleu	673.3956
noir	673.4030
ivoire	673.3832
pêche	673.3913

20	2 pl. fixe	434,48€
21	2 pl. transf.	486,31€
30	3 pl. fixe	495,46€
31	3 pl. transf.	547,29€

CàE PIERRE VANDEL vous propose une nouvelle série de meubles entièrement réalisés en dalles de verre trempé, assemblées et reliées entre elles par des jonctions en alliage poli (zamac) doré à l'or fin 22 carats. Dalles supérieures ép. 8 mm, inférieures 6 mm. Livré prêt à monter, notice jointe.

C **La table basse.** 2 plateaux. Long. 102, larg. 49, haut. 40 cm.
485.7160 **227,15€**

D **Le bout de canapé.** 2 plateaux. Long. 46, larg. 35, haut. 50 cm.
485.7151 **150,92€**

E **La table TV** sur roulettes. 3 plateaux. Long. 76, larg. 34, haut. 65 cm.
485.1765 **227,15€**

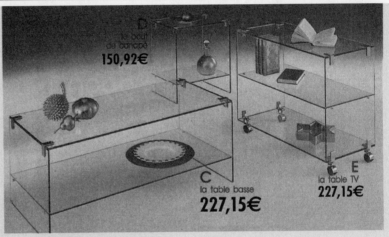

D le bout de canapé **150,92€**

C la table basse **227,15€**

E la table TV **227,15€**

L Par son aspect classique, une lampe à poser en céramique aspect satiné qui s'adaptera à toutes vos pièces. Vendue à l'unité pour la plus grande taille et par lot de 2 pour la plus petite taille.
● **Grande taille** : hauteur totale 35 cm, Ø 32 cm.
vert 735.2263   écru 735.2247
ciel 735.2255   **Prix 25,15€**
● **Le lot de 2 lampes** : hauteur totale 25 cm, Ø 25 cm.
vert 735.2239   écru 735.2077
ciel 735.2220   **Le lot 30,34€**

3 WINDSOR : un fauteuil très "club" où méditer confortablement sur l'inégalable flegme britannique. Habillé de sobres et larges rayures noires et écrues en 100% coton ou d'élégante flanelle (35% laine, 35% acrylique, 30% polyester) verte, grise ou camel. Structure en hêtre massif et panneaux de particules enrobés de mousse polyéther. Assise : Coussin en mousse de polyéther (densité nette 20 kg/m³) nappée ouate polyester, suspension par sangles élastiques. Pieds trapèzes en hêtre massif naturel (montés sur roulettes à l'avant). Dim. hors tout : larg. 78, haut. 90, prof. 72 cm. Ech. tissu HE 368.

écru/noir 341.1605
vert 341.1583
gris 341.1575
camel 341.1591
403,99€

Pour payer à crédit voir p. 638
LA CARTE KANGOUROU

C'est à toi!
Level One
©EMC

Maisons à vendre

1.

PROXIMITE LOCHES (37) Touraine. Fermette ancienne entièrement restaurée avec avancée en auvent de grange tourangelle. Belles prestations. Séjour, salon, 4 chambres, 3 salles de bains. Possibilité logement indépendant. Garage. Piscine avec terrasse. Terrain clos et arboré sur 2.769 m². 141.777€ 02.47.59.94.59 heures bureau ou 02.47.59.27.10 heures repas.

2.

BORDEAUX (33) Maison bourgeoise avec belle façade en pierre, 280 m² habitables sur 2 niveaux donnant sur jardin paysager 200 m², exposé plein sud, sans vis-à-vis. Piscine 4 x 8 m chauffée, jacuzzi. Rez-de-chaussée : cuisine équipée et coin-repas, double salon et salle à manger. Dépendances : salle à manger d'été et bibliothèque, sauna et salle de gymnastique, buanderie, cellier, atelier, double garage avec portail automatique, alarme, cave et cave à vins. Etage : 6 chambres, 4 salles de bains. Chauffage gaz. Proximité commerces, écoles et universités. 312.520€. (Possibilité appartement indépendant 60 m²). 05.56.91.45.04 ou 06.07.76.34.41.

3.

(84) 30 km autoroute. Sortie Orange. Site protégé des pollutions. Environnement de collines. Nombreux chemins de randonnée. Végétation provençale variée. Très agréable villa, 200 m², tout confort, habitable immédiatement, très calme et ensoleillée. Grande terrasse plein sud, vue imprenable sur Mont-Ventoux, 7 pièces sur 2 niveaux : 3 chambres, 2 salons, cuisine équipée + habitation 2 pièces, cuisinette, wc, douche en rez-de-jardin, plein sud. Terrain 1.250 m², exposé sud avec ombrages. Proximité villas provençales. Tous commerces à 2 km. Possible piscine. **158.546€.** Tél/fax : 01.45.77.60.09 (si absent laisser message répondeur).

4.

LANGON (33) Château Respide, un des plus prestigieux de la région, parc 4 ha. 20 mn Bordeaux, aéroport international, gare TGV. 2 mn sous-préfecture et accès autoroute. Dans beau parc vallonné 4.650 ha (arbres tri-séculaires), allées cavalières, pièces d'eau et petit cour d'eau, belles dépendances 67 m² avec partie en moellons et pierre de taille, beau volume, gros oeuvre et toiture en parfait état, entièrement à aménager, exposition plein sud, calme, ouvrant sur terrain 946 m², face donjon. Piscine, espaces jeux. Barbecue géant collectif. 30.489€ Charges impôts locaux et fonciers réduits. 05.56.76.17.33 ou 06.08.71.18.60.

5.

LA FERTE ST CYR (41) Entre Blois et Orléans. Maison de caractère 295 m² sur 3.000 m² terrain clos et arboré avec potager et point d'eau (625 m²), 8 pièces sur 2 niveaux : grande véranda, salon, salle à manger avec cheminée récupérateur, cuisine équipée, cellier, 5 chambres, 2 salles de bains, 4 wc, 2 cheminées (inserts), grande terrasse, piscine intérieure chauffée + jet stream, chauffage électrique, garage 2 voitures, alarme, coin-atelier. 257.638€. 02.54.87.92.97.

6.

PIERRIC (44) Maison traditionnelle de qualité 1975, T9, 290 m² habitables, avec sous-sol sur terrain 1 ha. Rez-de-chaussée : entrée, cuisine équipée, lingerie, salon/salle à manger, chambre avec salle de bains, bureau, wc. Etage : mezzanine, 4 chambres dont une avec salle d'eau, salle de bains, wc séparés. Chauffage central fuel. Garage 4 voitures. Cave. Chaufferie. Atelier. Parc clos, arboré et paysager. Proche autoroute Rennes-Nantes. 19.818€. Tél/fax : 02.40.07.90.88.

7.

ST GEOURS DE MARENNE (40) Landes. 18 km mer. Ensemble de 3 maisons. Ferme landaise restaurée 350 m² : 10 pièce dont 6 chambres. Bergerie restaurée 170 m² : 6 pièces, cheminée. Maison de gardien : 3 pièces. Piscine, pool-house, grange. Tennis avec terre battue. Sur 4 ha dont 1,2 ha d'airial. **487.836€.** 01.41.02.71.16.

8.

SOUSTONS (40) 5 km mer et 2 km lac. Maison landaise 65 m², sur 1.200 m² terrain clos et arboré donnant sur forêt. Cuisine, séjour, 3 chambres, salle d'eau, wc séparés. Possibilité 2 chambres mansardées au grenier à aménager. Abri jardin. **99.091€** frais de notaire compris. 05.58.41.34.68.

9.

POULAINES (36) Limite Berry/Sologne. 2 h Paris. Sur terrain 1.800 m² clos de murs et arboré, belle maison style solognot avec colombages, 150 m² habitables. Rez-de-chaussée : entrée, séjour/salon 45 m² avec cheminée insert, cuisine aménagée, arrière-cuisine, chambre, salle d'eau et wc. A l'étage : mezzanine, 3 chambres, salle de bains, wc. Garage 2 voitures. Grenier. Abri à bois. Terrasses. Chauffage électrique, alarme. Etat neuf. Orientation sud. **182.938 €** à débattre. 02.54.40.90.63.

Appartements à vendre

À Paris

1. **14e** Alésia. Immeuble ancien. Au 2e, ascenseur, donnant sur rue et cour. Appartement 60 m² : double séjour avec 2 cheminées, 2 chambres, cuisine, salle de bains et wc indépendants, parquet, moulures. Cave. Porte blindée, digicode, gardien. Bien situé, calme et clair. **182.938€.** 01.45.40.43.68.

2. **13e** Limite 5e. Rue Jeanne d'Arc. Petit 3 pièces, 40 m² (loi Carrez) : entrée, wc, cuisine, salle d'eau, séjour, 2 chambres. Cave. Chauffage électrique, parquet, cheminée. Au 1er ascenseur sur cour, bel immeuble pierre de Paris, digicode, gardien. Parties communes refaites. Urgent. **89.182€.** 01.39.95.22.14 soir ou week-end.

3. **18e** Guy Môquet. " Le Fleurus ". Résidence standing 1994. Au 1er sur cour arborée. 3 pièces, 75 m² + terrasse 25 m². Faibles charges. Prestations de qualité, grande cuisine équipée, bain + douche, placards. Cave, parking. Digicode, vidéophone. Proximité commerces, écoles, transports. **256.114€.** 01.42.52.60.84 ou 06.85.83.42.85.

4. **17e** Métro Rome. Immeuble pierre de taille récent. 3/4 pièces 85 m² + 12,5 m² balcon/terrasse, ensoleillé, clair, orientation sud et ouest : grand séjour avec boiseries en merisier, 2 chambres, 2 salles de bains, cuisine spacieuse aménagée, nombreux rangements. Au 4e, ascenseur. Parking au sous-sol. Proximité commerces. **320.142€.** 01.43.26.95.24 après 17 h en semaine, après 10 h le week-end.

5. **16e** Porte de St-Cloud/Boulogne. 3 pièces, rez-de-chaussée sur rue (sans vis-à-vis), 80 m² + cour couverte à usage privatif 8 m². Entrée, double séjour (cheminée), cuisine équipée, chambre, wc séparés, salle de bains, porte blindée, vitrage sécurité en façade (est). Chauffage central. Digicode et gardienne, immeuble 1930. Possibilité d'achat parking proche. **221.051€.** 01.41.35.24.73 bureau et 01.45.67.93.08 après 19 h (si absent laisser message répondeur).

6. **15e** Boulevard Victor. 5 mn des métros Porte de Versailles ou Barlard. Au 8e et dernier étage ascenseur. Dans résidence verdoyante de bon standing, face au parc des Expositions. 3 pièces, 57 m² environ : cuisine, salle de bains, toilettes séparées, grands placards/penderies, balcon, porte blindée, double vitrage, très clair et ensoleillé, double exposition sud-est/sud-ouest, vue sur tour Eiffel. Récemment rénové. Parquet, gaz, chauffage central et eau chaude par immeuble. Gardien, digicode. Habitable sans frais. cave 3 m environ très saine. Double parking 24 m² en sous-sol, accès par carte magnétique et clef. Proche toutes commodités. **195.134€** à débattre. 06.60.98.34.26 ou fax : 01.41.44.29.65 ou E-mail:victor_paris@bigfoot.com

En province

1. **DEAUVILLE (14)** Pays d'Auge, beau site, entre mer et golf, vue imprenable sur Deauville, Trouville et mer, dans parc arboré de 5 ha. 2 petits immeubles à colombages, avec piscines, tennis, gardien. Studio, standing 30 m², cuisine aménagée, salle de bains marbre, chauffage à distance. Interphone. Grand box fermé + cave. Terrasse et jardin privatifs, environ 45 m². **9.756€.** 02.31.87.46.71 ou 06.80.05.58.55.

2. **CANNES (06)** Quartier polyclinique. Dans résidence standing, vue mer et jardin, calme, piscine. 3 pièces, cuisine-office, 2 wc, salle de bains, salle de douche. 105 m² (loi Carrez) + terrasse 7,5 m² + chambre de service + garage fermé 2 voitures avec grande mezzanine + parking extérieur. **251.540€.** 04.93.61.94.88.

3. **TOULOUSE (31)** Quartier St-Michel. Appartement 46,42 m², dans immeuble en " U " avec jardin intérieur, au 2e ascenseur, interphone. 3,86 m² balcon donnant sur cuisine aménagée, séjour, chambre, salle de bains, wc séparés, chauffage électrique. Garage en sous-sol. Vendu meublé : **51.832€** à débattre. 05.65.67.16.99.

4. **BORDEAUX (33)** Barrière de Toulouse. Près boulevards. 4 pièces 95 m². Au 6e et dernier étage, ascenseur. Dans petite résidence. Interphone. Cuisine, séjour, salon, 3 chambres, salle de bains, wc séparés, balcon avec vue sur jardin, cellier au rez-de-chaussée. Garage privé fermé. Chauffage individuel gaz. **74.700€** à débattre. 05.56.98.75.43.

5. **NICE (06)** Cimiez. Beau 3 pièces, 90 m², au 3e, ascenseur. Double séjour, terrasse vue mer et jardins, 2 grandes chambres sur balcon, salle de bains, wc, cabinet de toilette, wc, cuisine équipée, placards, penderies, sol marbre, chauffage collectif. Gardien. Garage fermé. Cave. Charges modérées. **175.316€.** 04.93.62.64.34.

6. **MONTPELLIER (34)** Centre ville. T2, 33 m², au 2e, loggia, exposition nord-est mais clair. Parfait état. Parking sous-sol. Près faculté Sciences Eco, gare. 15 mn aéroport. **53.357€.** 01.47.46.02.07 soir.

7. **NANTES (44)** CHU/Madeleine. Au 2e, interphone. T1, 25 m², entièrement rénové, clair, exposé plein ouest. Chauffage individuel électrique, double vitrage. Près tramway et commerces. **23.629€.** 02.51.41.90.59 heures repas.

8. **CAEN (14)** Rue St-Pierre, centre ville. 1 pièce 20 m², au 2e, interphone, balcon, cuisine équipée, séjour, salle de bains. Cave. Chauffage individuel électrique. **38.112€.** Tél 02.33.59.31.00 ou fax 02.33.69.31.00.

Menu

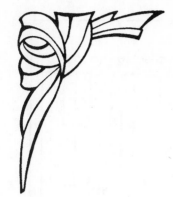

Hors-d'œuvre

Entrées

Poissons et Viandes

Légumes

Desserts

Boissons

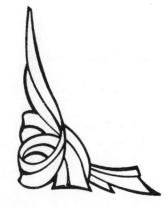

C'est à toi!
Level One
©EMC

Activities for Proficiency

Unité 9

101

Dans la cuisine

une assiette	une cuillère	une machine à laver	une soucoupe
une bouteille	une cuisinière	un placard	la table
une casserole	un évier	le poivre	une tasse
une chaise	une fenêtre	la porte	un verre
un congélateur	une fourchette	un robinet	
un couteau	un frigo	le sel	

Activities for Proficiency

C'est à toi!
Level One
©EMC

Couvert

Couscous

Viande

Couscous aux deux viandes

Pour 6 personnes - Préparation : 1 h
Cuisson : 1 h 20

- 500 g de couscous moyen
- 1,5 kg d'épaule d'agneau désossée
- 3 blancs de poulet
- 6 cuil. à soupe d'huile d'olive
- 50 g de beurre

Pour le bouillon
- 3 oignons ● 2 gousses d'ail ● 1 bouquet de coriandre ● 1 pointe de couteau de safran ● 2 cuil. à café de paprika doux ● harissa ● sel, poivre

Pour les légumes
- 4 petites courgettes ● 2 carottes ● 4 tomates ● 1 boîte de pois chiches (1/2) ● 200 g de fèves écossées surgelées ● 50 g de raisins secs

Réalisation

■ Faites revenir l'agneau en morceaux 7 min à l'huile dans le haut du couscoussier. Versez 1,5 l d'eau. Ajoutez les oignons pelés, en quartiers, l'ail pelé et coupé en deux, le safran, le paprika, le 1/2 bouquet de coriandre. Salez, poivrez. Faites bouillir, écumez, ré-

duisez le feu, laissez mijoter pendant 30 min à couvert.

■ Entre-temps, préparez le couscous : couvrez la semoule d'eau froide et égouttez aussitôt. Soulevez les graines à l'aide d'une fourchette, laissez gonfler 15 min.

■ Mettez le couscous dans le haut du couscoussier, placez-le sur le bouillon et la viande. Laissez cuire à découvert 20 min en soulevant régulièrement les graines.

■ Otez le haut du couscoussier, arrosez le couscous de 10 cl d'eau salée. Incorporez le beurre en roulant les graines avec les doigts.

■ Ajoutez dans le bouillon le poulet en morceaux, les courgettes et les carottes émincées, les tomates pelées et épépinées, les fèves, les pois chiches et les raisins secs. Poursuivez la cuisson 20 min.

■ 10 min avant de servir, réchauffez le couscous à la vapeur.

■ Mettez-le sur un plat avec les viandes et légumes. Parsemez de coriandre ciselée. Accompagnez du bouillon et de harissa.

Viande

Couscous aux deux viandes

Plat unique

STUDIO X

Activities for Proficiency

Le Maghreb

Parties du corps

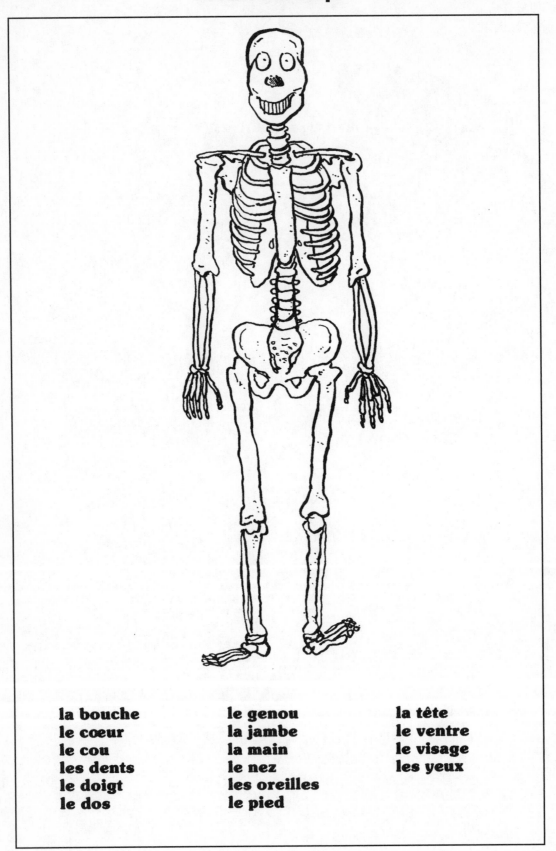

la bouche	le genou	la tête
le cœur	la jambe	le ventre
le cou	la main	le visage
les dents	le nez	les yeux
le doigt	les oreilles	
le dos	le pied	

C'est à toi!
Level One
©EMC

Activities for Proficiency

Unité 10

107

Sports d'hiver

faire de la luge
faire du ski de fond
faire de la planche à neige

Activities for Proficiency

Hébergement à Chamonix

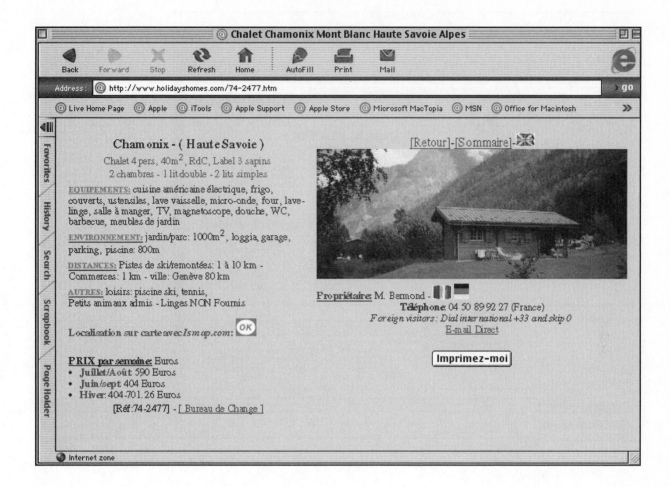

Chalet Chamonix Mont Blanc Haute Savoie Alpes

Back Forward Stop Refresh Home AutoFill Print Mail

Address: @ http://www.holidayshomes.com/74-2477.htm) go

@ Live Home Page @ Apple @ iTools @ Apple Support @ Apple Store @ Microsoft MacTopia @ MSN @ Office for Macintosh »

[Retour]-[Sommaire]-🇬🇧

Chamonix - (Haute Savoie)
Chalet 4 pers, 40m², RdC, Label 3 sapins
2 chambres - 1 lit double - 2 lits simples

ÉQUIPEMENTS: cuisine américaine électrique, frigo, couverts, ustensiles, lave vaisselle, micro-onde, four, lave-linge, salle à manger, TV, magnetoscope, douche, WC, barbecue, meubles de jardin

ENVIRONNEMENT: jardin/parc: 1000m², loggia, garage, parking, piscine: 800m

DISTANCES: Pistes de ski/remontées: 1 à 10 km - Commerces: 1 km - ville: Genève 80 km

AUTRES: loisirs: piscine ski, tennis, Petits animaux admis - Linges NON Fournis

Localisation sur carte avec *Ismap.com*: OK

PRIX par semaine: Euros
- **Juillet/Août:** 590 Euros
- **Juin/sept** 404 Euros
- **Hiver:** 404-701.26 Euros
  [Réf:74-2477] - [Bureau de Change]

Propriétaire: M. Bermond -
Téléphone: 04 50 89 92 27 (France)
Foreign visitors: Dial international +33 and skip 0
E-mail Direct

Imprimez-moi

Internet zone

Faisons du ski à Chamonix!

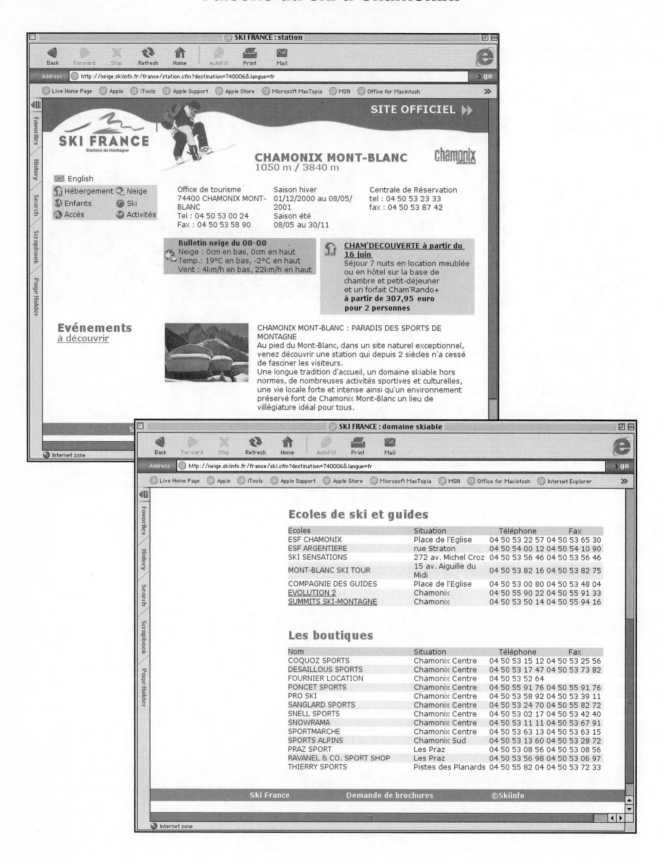

Activities for Proficiency

C'est à toi!
Level One
©EMC

La Suisse

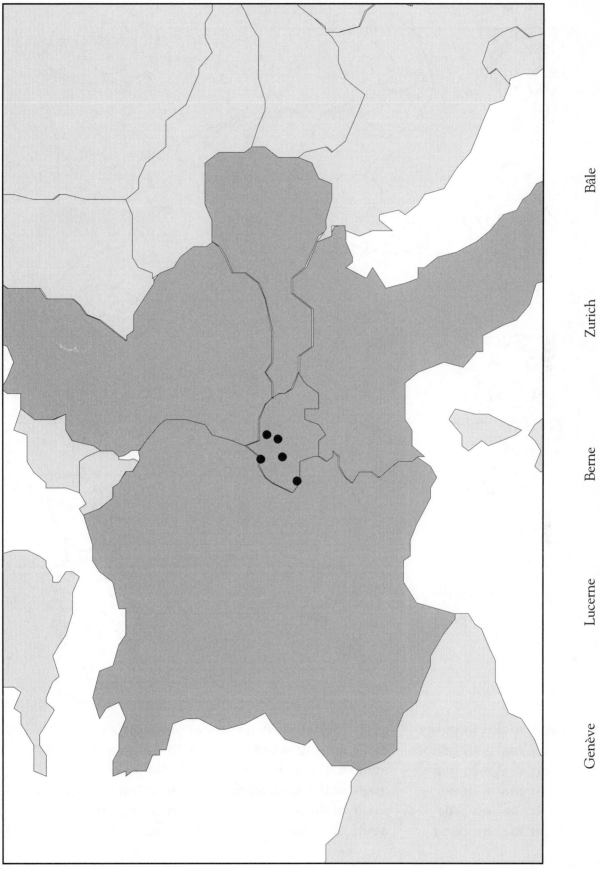

Bâle

Zurich

Berne

Lucerne

Genève

C'est à toi!
Level One
©EMC

Activities for Proficiency

Unité 10

111

Qu'est-ce qu'on a?

avoir mal à la gorge	avoir mal au dos	avoir le bras cassé
avoir mal à la jambe	avoir mal au ventre	avoir un coup de soleil
avoir mal à la main	avoir mal aux dents	avoir la grippe
avoir mal à la tête	avoir mal aux oreilles	avoir la jambe cassée
avoir mal au bras	avoir mal aux yeux	avoir le mal de mer
avoir mal au cœur	avoir de la fièvre	avoir un rhume

Dans la salle d'attente et à la pharmacie

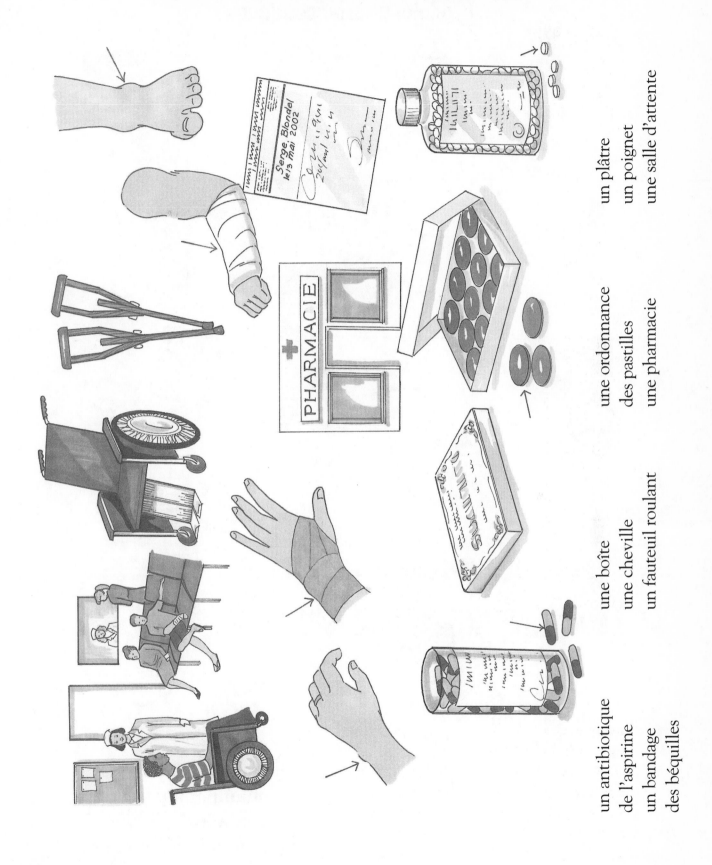

un plâtre
un poignet
une salle d'attente

une ordonnance
des pastilles
une pharmacie

une boîte
une cheville
un fauteuil roulant

un antibiotique
de l'aspirine
un bandage
des béquilles

C'est à toi!
Level One
©EMC

Activities for Proficiency

Unité 10

113

Produits pharmaceutiques

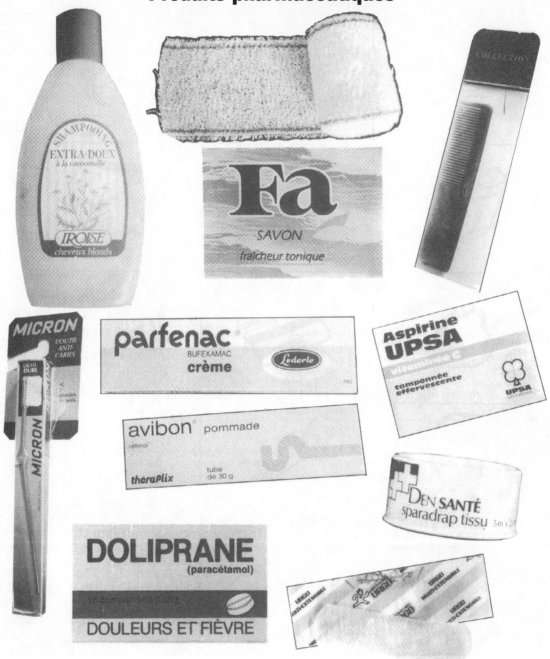

de l'aspirine

un bandage

une brosse à dents

des cachets /des
  comprimés

de la crème

des pansements

un peigne

du savon

du shampooing

du sparadrap

un tube de pommade

Expressions argotiques

la bagnole	car	la gueule	face, mouth
le bouquin	book	le mec	guy
le flic	policeman	la nana	girl
le fric	money	le pif	nose
les fringues	clothes	le plat de nouilles	airhead
le gars	guy	le resto	restaurant
la gonzesse	girl	le type	guy

C'est le bouquet.	That's the last straw.
C'est le dernier cri.	It's the latest style.
C'est un conducteur du dimanche.	He's a Sunday driver.
Ce n'est pas tes oignons.	It's none of your business.
Donne-moi un coup de fil.	Call me.
Il a de la veine.	He's lucky.
Il en pince pour Claire.	He has a crush on Claire.
Il est bête comme ses pieds.	He's as dumb as an ox.
Il est cinglé.	He's crazy.
Il est dingue.	He's crazy.
Il est près de ses sous.	He's stingy.
Il est rasoir.	He's boring.
Il tombe des cordes.	It's raining a lot.
Il tourne en rond.	He has nothing to do.
J'ai le cafard.	I'm depressed.
Je bosse trop.	I work too much.
Je bouffe.	I'm chowing down.
Je caille.	I'm freezing.
Je suis calé(e) en maths.	I'm smart in math.
Mon œil!	That's ridiculous!
Nom de deux!	My gosh!
Oh, la vache!	Wow!
Quel casse-pieds!	What a pain in the neck!
Quel moulin à paroles!	What a blabbermouth!
Quel navet!	What a bad movie!
Quelle mouche le pique?	What's eating him?

Expressions difficiles à prononcer

As-tu été à Tahiti?

Ce ver vert sévère sait verser ses verres verts.

Ces six saucissons-ci sont si secs qu'on ne sait si c'en sont.

Cette taxe fixe excessive est fixée exprès à Aix par le fisc.

Cinq chiens chassent six chats.

Combien sont ces six saucissons-ci? Ces six saucissons-ci sont six sous. Si ces six saucissons-ci sont six sous, ces six saucissons-ci sont trop chers.

Dans la gendarmerie, quand un gendarme rit, tous les gendarmes rient dans la gendarmerie.

Dans la tente ta tante t'attend.

Didon dîna, dit-on, du dos d'une dinde, don d'un don du Doubs, à qui Didon a dit: Donne, donc, don, du dos d'une dinde.

Il était une fois, un homme de foi qui vendait du foie dans la ville de Foix. Il dit ma foi, c'est la dernière fois que je vends du foie dans la ville de Foix.

Je dis que tu l'as dit à Didi ce que j'ai dit jeudi.

Je suis ce que je suis et si je suis ce que je suis, qu'est-ce que je suis?

La robe rouge de Rosalie est ravissante.

Les Autrichiens sont des autres chiens!

Les chaussettes de l'archiduchesse sont-elles sèches? Archisèches!

Lulu lit la lettre lue à Lili et Lola alla à Lille où Lala lie le lilas.

Pauvre petit pêcheur, prend patience pour pouvoir prendre plusieurs petits poissons.

Si six cents scies scient six cents saucisses, six cent six scies scieront six cent six saucissons.

Suis-je bien chez ce cher Serge?

"Tatie, ton thé t'a-t-il ôté ta toux," disait la tortue au tatou. "Mais pas du tout," dit le tatou. "Je tousse tant que l'on m'entend de Tahiti au Toumbouctou."

Un chasseur sachant chasser doit savoir chasser sans son chien de chasse.

L'Europe

1. l'Irlande (f.)
2. l'Angleterre (f.)
3. les Pays-Bas (m. pl.)
4. la Belgique

5. le Luxembourg
6. l'Allemagne (f.)
7. l'Autriche (f.)
8. la Suisse

9. l'Italie (f.)
10. la France
11. l'Espagne (f.)
12. le Portugal

Horaire des trains

PARIS ▶ VENDOME ▶ TOURS

Pour connaître le prix correspondant à la couleur de votre RESA 300, consultez le tableau "Prix des Relations" p. 64 et 65.

TGV ne circulant pas ce jour-là.

RESA 300 — 1 | 2 | 3 | 4

HORAIRES

Nº du TGV		8301	8205	8507 8509	8407	8311	8213	8419	8223
Particularités / Restauration				🍴	🍴	🍴		🍴	
Paris-Montparnasse 1-2	D	6.55	7.25	7.55	8.15	9.00	9.25	10.45	12.15
Vendôme-Villiers-s/Loir	A		8.07				10.08		12.57
Saint-Pierre-des-Corps	A	7.51	8.28	8.51	9.11	9.57	10.28	11.41	13.18
Tours	a	a	8.35	a	a	a	10.35	a	13.25

SEMAINES TYPES

Période	Jour	8301	8205	8507/8509	8407	8311	8213	8419	8223
du 6 juillet au 1er septembre	Dimanche		1	1	1	1	1	1	1
	Samedi		1	1	1	1		1	1
	Vendredi		1	1	2	2		1	1
	Lundi	2	1	1	2	2	1	1	1
du 2 juin au 5 juillet et du 2 au 28 septembre.	Dimanche		1	1	1	1	1	1	1
	Samedi		1	1	1	1		1	1
	Vendredi	2	2	1	2	2		1	1
	Mardi au jeudi	2	2	1	2	2		1	1
	Lundi	2	2	1	2	2		1	1

Eurostar

HORAIRES

Paris ▶ Londres

Train N°	9005	9007	9011	9015	9017	9019	9025	9027	9031	9035	9039	9043	9047	9051	9055	9059	9063
Jours de circulation	(1)	(2)	(1)	(3)	(2)	(3)	(1)	(2)	(4)	(5)	(4)		(4)	(4)		(4)	(5)
Paris Nord	06.37	07.10	08.07	09.10	09.43	10.19	11.43	12.19	13.04	14.16	15.19	16.07	17.10	18.19	19.19	20.07	21.13
Ashford		07.16	08.11	10.11					14.08					18.11	20.14	21.11	22.11
Londres Waterloo	08.46	09.09	10.30	11.30	11.43	12.30	13.47	14.30	15.26	16.09	17.13	18.13	19.13	20.13	21.13	22.13	23.16

Londres ▶ Paris

Train N°	9078	9002	9006	9010	9012	9016	9018	9024	9028	9032	9038	9042	9046	9048	9050	9052	9054	9056
Jours de circulation	(1)	(3)	(3)	(3)	(6)	(3)	(3)	(3)	(4)	(4)	(4)	(7)	(1)	(7)		(4)	(4)	(8)
Londres Waterloo	05.08	06.19	07.23	08.10	08.53	09.53	10.23	11.57	12.53	13.57	15.10	15.23	16.23	17.15	17.48	18.23	18.53	19.23
Ashford	06.16	07.19	08.24	09.23		10.53			13.53			17.24				19.23	19.54	20.23
Paris Nord	09.23	10.23	11.23	12.23	12.53	13.53	14.17	15.56	16.53	17.56	19.23	20.23	21.17	21.17	21.53	22.23	22.47	23.23	23.47

(1) du lundi au vendredi   (2) uniquement les samedis   (3) du lundi au samedi   (4) uniquement les dimanches   (5) uniquement les vendredis et dimanches
(6) uniquement les vendredis et samedis   (7) uniquement les samedis et dimanches   (8) uniquement les vendredis, samedis, dimanches

PRIX   Paris ◀▶ Londres ou Ashford

◀ *Voir conditions au dos* ▶

2ᴱ CLASSE	Aller simple	Aller-retour	Points gagnés pour un aller-retour**
Second Plus	139,49 €	266,78 €	120 points
Normal	125,05 €	242,39 €	60 points
Loisir	-	150,92 €	
Sourire	-	120,43 €	
Enfant	44,21 €	74,70 €	
Jeune	-	99,09 €	
Senior	-	129,58 €	

1ᴿᴱ CLASSE	Aller simple	Aller-retour	Points gagnés pour un aller-retour**
First Premium	237,05 €	474,11 €	300 points
Normal	221,81 €	373,50 €	200 points
Loisir	-	242,39 €	100 points
Enfant	89,94 €	150,92 €	

Les prix ci-dessus sont valables pour les voyages au départ de Paris.

Si vous voyagez en 1ʳᵉ classe aux prix First Premium, Normal ou Loisir ou en 2ᵉ classe aux prix Second Plus ou Normal, le **programme Eurostar Voyageur Fréquent vous permet, lors de chacun de vos trajets, de gagner des points échangeables contre des voyages gratuits et les offres de 20 partenaires. *Renseignements et adhésion au programme : 01 41 91 10 15. Barème des points au 16.12.97*

POUR TOUS

Normal 1ᴿᴱ ET 2ᴱ CLASSE - Billet échangeable et intégralement remboursable, jusqu'à 2 mois après le départ du train.

Loisir 1ᴿᴱ ET 2ᴱ CLASSE - Prix réduit pour un aller-retour si vous passez la nuit du samedi au dimanche ou 3 nuits au moins à destination. Billet échangeable et remboursable, avant le départ du train pour l'aller et/ou le retour (en présentant le billet aller et le billet retour).

Sourire 2ᴱ CLASSE - Prix réduit pour un aller-retour si vous passez la nuit du samedi au dimanche à destination. Billet échangeable avant le départ du train pour l'aller et/ou le retour (en présentant le billet aller et le billet retour) et non remboursable.

JEUNE, ENFANT, SENIOR...

Jeune 2ᴱ CLASSE - Prix réduit pour un aller-retour si vous avez moins de 26 ans. Billet échangeable avant le départ du train pour l'aller et/ou le retour (en présentant le billet aller et retour) et remboursable à 50 % avant le voyage aller.

Enfant 1ᴿᴱ ET 2ᴱ CLASSE - Prix réduit pour les moins de 12 ans. Possibilité pour les moins de 4 ans de voyager gratuitement mais sans garantie d'une place assise. Billet échangeable et intégralement remboursable, jusqu'à 2 mois après le départ du train.

Senior 2ᴱ CLASSE - Prix réduit pour un aller-retour si vous avez plus de 60 ans. Billet échangeable avant le départ du train pour l'aller et/ou le retour (en présentant le billet aller et retour) et remboursable à 50 % avant le voyage aller.

Groupe 1ᴿᴱ ET 2ᴱ CLASSE (au moins 10 personnes) - Renseignements auprès du Service Groupe en gare ou dans les agences de voyages.

Prix spécifiques pour les voyageurs en fauteuil roulant (adulte ou enfant) et l'accompagnateur, ainsi que pour chacun d'un voyageur non-voyant.

Réservation jusqu'à 30 minutes avant le départ du train. Tous les prix réduits vous sont proposés dans la limite des places disponibles pour chacun d'entre-eux.

Information non contractuelle, donnée sous réserve de modifications apportées après édition du document.

La France par le train

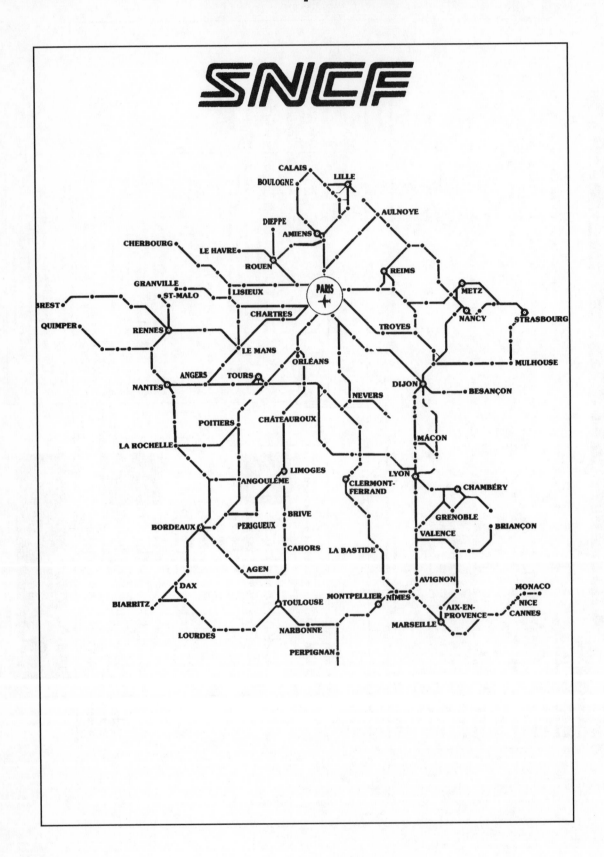

Á la gare

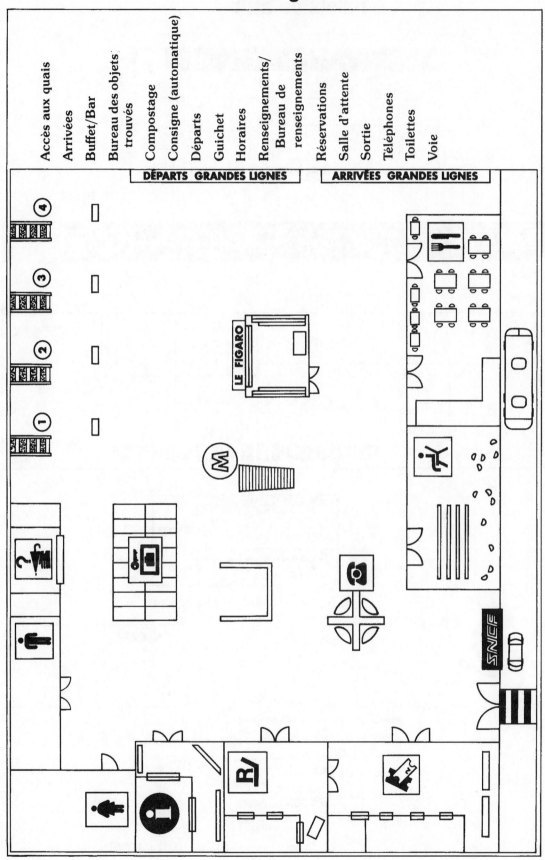

Accès aux quais
Arrivées
Buffet/Bar
Bureau des objets trouvés
Compostage
Consigne (automatique)
Départs
Guichet
Horaires
Renseignements/Bureau de renseignements
Réservations
Salle d'attente
Sortie
Téléphones
Toilettes
Voie

DÉPARTS GRANDES LIGNES

ARRIVÉES GRANDES LIGNES

LE FIGARO

SNCF

C'est à toi!
Level One
©EMC

Activities for Proficiency

Unité 11

121

Billets de train

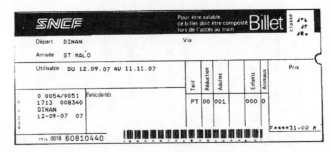

un billet

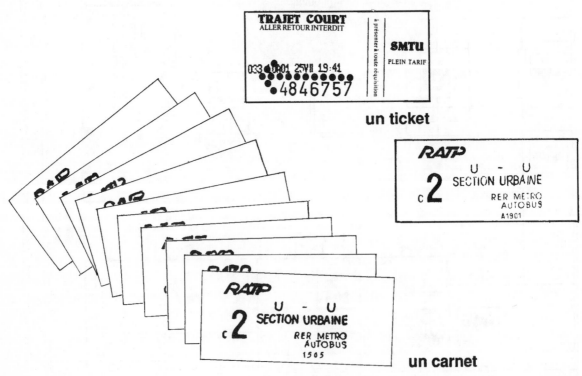

un ticket

un carnet

Le monde francophone

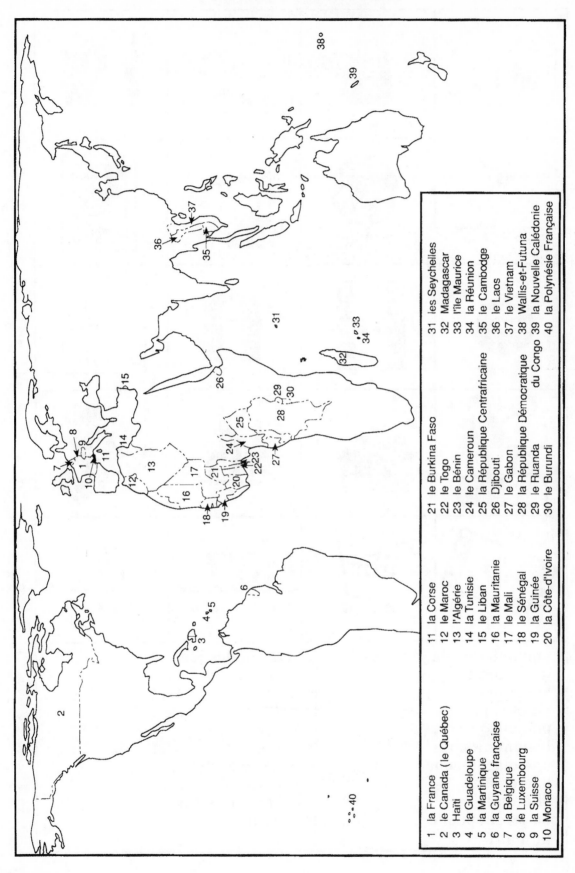

1	la France	11	la Corse	21 le Burkina Faso	31 les Seychelles
2	le Canada (le Québec)	12	le Maroc	22 le Togo	32 Madagascar
3	Haïti	13	l'Algérie	23 le Bénin	33 l'île Maurice
4	la Guadeloupe	14	la Tunisie	24 le Cameroun	34 la Réunion
5	la Martinique	15	le Liban	25 la République Centrafricaine	35 le Cambodge
6	la Guyane française	16	la Mauritanie	26 Djibouti	36 le Laos
7	la Belgique	17	le Mali	27 le Gabon	37 le Vietnam
8	le Luxembourg	18	le Sénégal	28 la République Démocratique	38 Wallis-et-Futuna
9	la Suisse	19	la Guinée	du Congo	39 la Nouvelle Calédonie
10	Monaco	20	la Côte-d'Ivoire	29 le Ruanda	40 la Polynésie Française
				30 le Burundi	

En ville

une auberge de jeunesse
une banque
le château
un cinéma
un collège
le commissariat
une discothèque
une église
l'hôpital
un jardin public
la mairie

la maison des jeunes
le marché
le musée
la piscine
la poste
le stade
un supermarché
le syndicat d'initiative/
   l'office de tourisme
le théâtre

Plan de Bordeaux

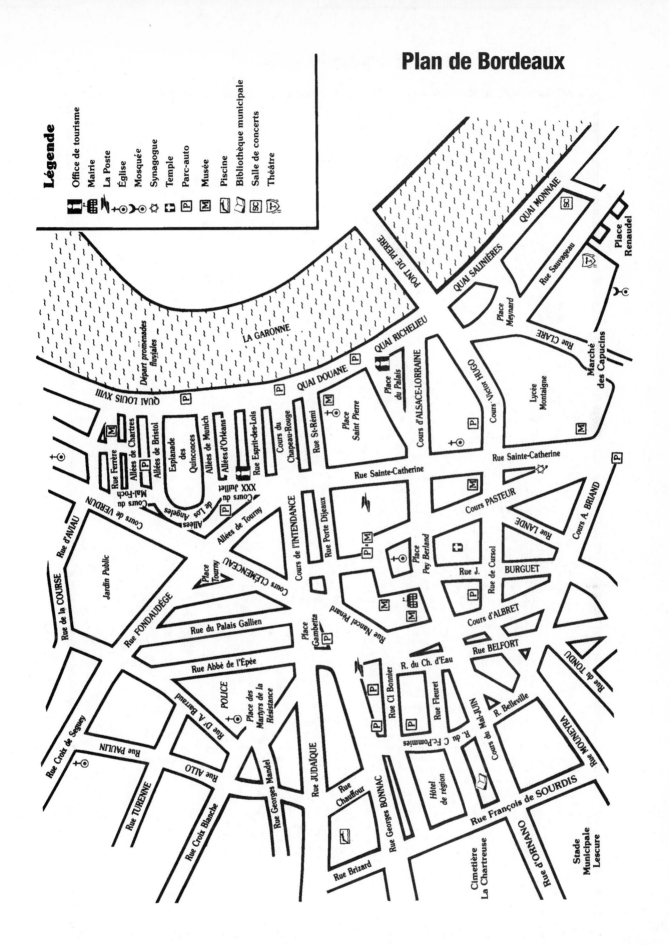

C'est à toi!
Level One
©EMC

Activities for Proficiency

Unité 11

125

Plan de la ville

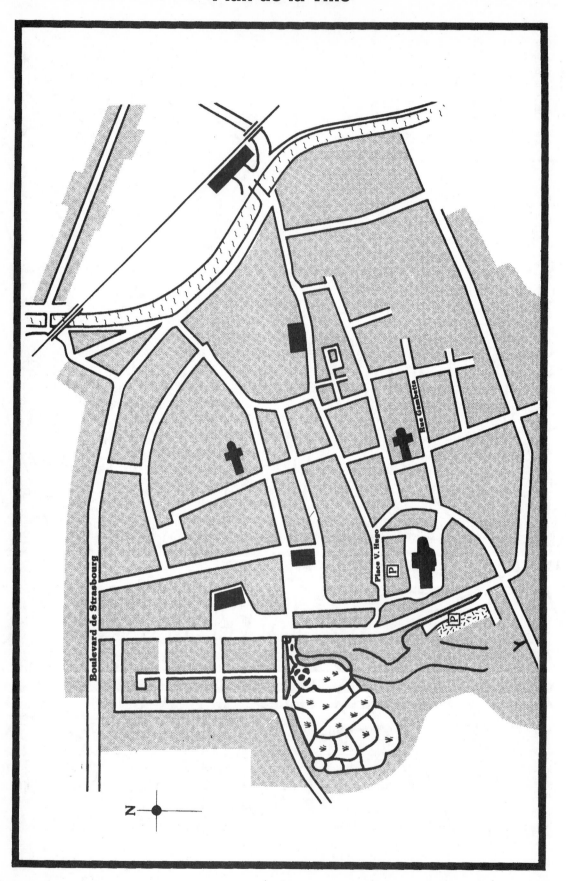

Camping de la Plage

(Form – blank copy)

NOM .... Prénoms ....

Adresse ....

Voiture .... Couleur .... No. ....

Caravane .... Couleur .... No. ....

Emplacement ....

Adulte(s) .... X ....

Enfant(s) .... X ....

Caravane .... X ....

Tente .... X ....

Voiture .... X ....

Chiens/chats (tenus en laisse) ....

Électricité .... Amp. ....

Garage ....

Total journalier € ....

Du .... à .... = ...jours

TOTAL: € ....

Payé chèque/espèces le ....

CAMPING DE LA PLAGE
14860 RANVILLE - France

FACTURE No 04310

Ouvert toute l'année
Location caravanes, mobilhomes -
Sanitaire avec eau chaude et chauffé

NOM SMITH .... Prénoms B.

Adresse ..... Angleterre

Voiture Ford .... Couleur Rouge .... No. 602 AND

Caravane .... Couleur .... No. ....

Emplacement ....

Adulte(s) 3	x 2,20	6,60	
Enfant(s) 4	x 1,50	6,00	
Caravane	x		
Tente 3	x 1,35	4,05	
Voiture 2	x 0,70	1,40	
Chiens/chats (tenus en laisse)			
Électricité	Amp.		
Garage			
Total journalier €		18,05	

Du 30.07.07 à 31.07.07 = 1 jours

TOTAL: € ....

Payé chèque/espèces le ....

Oursula fait du camping

des allumettes
un canif
un camping-gaz
une casserole
une lampe de poche
un ouvre-boîte
un sac à dos
un sac de couchage
une tente

Activities for Proficiency

C'est à toi!
Level One
©EMC

Plan de Paris

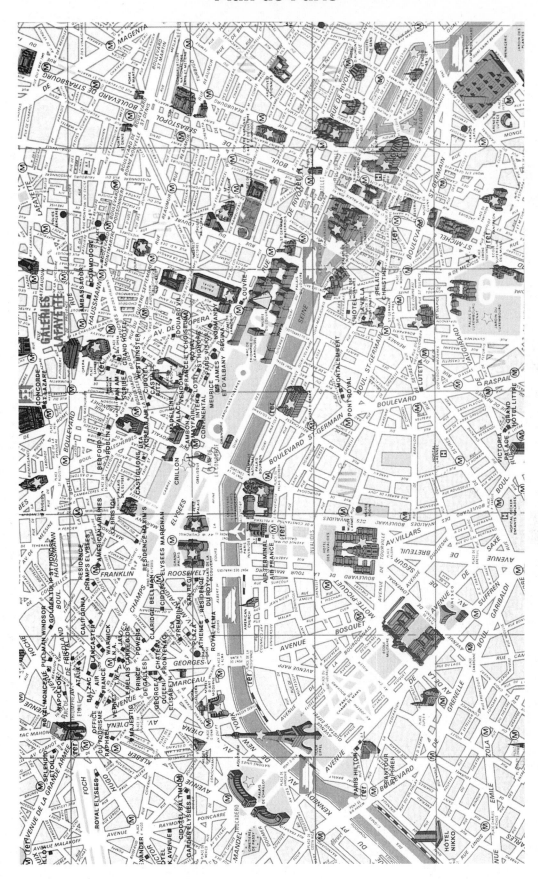

C'est à toi!
Level One
©EMC

Activities for Proficiency

Unité 12

129

Plan de métro

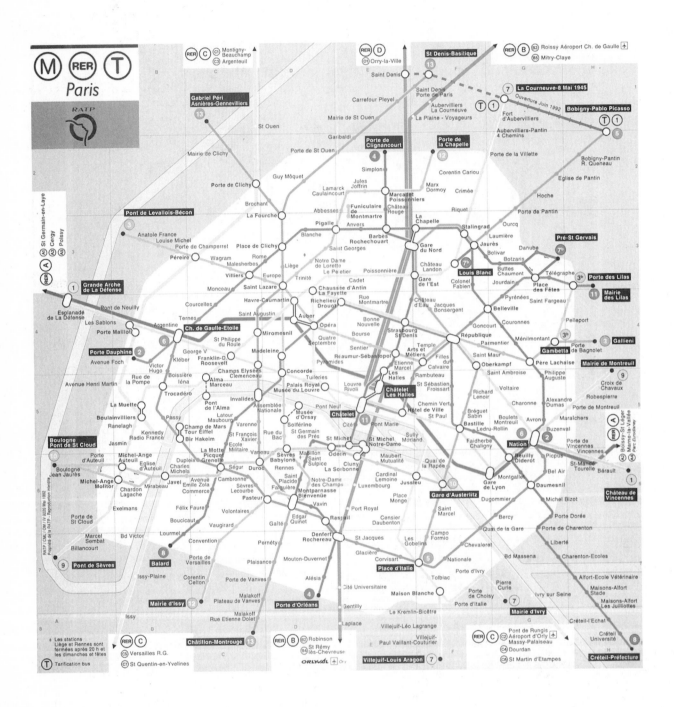

Activities for Proficiency

CENTRE NATIONAL D'ART ET DE CULTURE GEORGES POMPIDOU, place Georges Pompidou, côté rue Saint-Martin (1ᵉʳ). Mᵒ Châtelet-les-Halles, Rambuteau, Hôtel de Ville. 01.44.78.12.33 ou 3615 Beaubourg (0,20 €/mn) ou www.centrepompidou.fr. Tlj (sf Mar) de 11h à 22h. Visites Gpes et visites guidées: 01.44.78.46.25. **Musée National d'Art Moderne.** Tout l'art du XXᵉ siècle. Tlj (sf Mar) de 11h à 21h. (vente des billets jsq 20h). Ent: 4,57 €, TR: 3,05 €, –18 ans et 1ᵉʳ dimanche du mois: gratuit. Audioguides: français, anglais, allemand, espagnol, italien: 3,81 €. **Espace nouveaux médias.** Une collection unique de vidéos et CD-rom reflétant les grandes tendances de l'art contemporain. Tlj (sf Mar) de 12h à 21h. (accessible avec billet du musée). Sur la piazza du Centre Pompidou, **l'Atelier Brancusi.** Tlj (sf Mar) de 13h à 21h. (accessible avec billet du musée). **Bibliothèque publique d'information.** Tlj (sf Mar) de 12h à 22h, Sam et Dim de 11h à 22h. Entrée libre. Expositions: <<**La donation Kartell**>>. A travers l'acquisition d'une quarantaine de pièces issue de la firme italienne, l'exposition consacrée à l'éditeur italien permet de découvrir une politique de design pionnière en Italie. Jusqu'au 1ᵉʳ janvier. (Ent: 4,57 €, TR: 3,05 €) <<**Rosemarie Trackel**>>. Dessins de l'une des artistes européennes les plus représentatives de sa génération. Jusqu'au 1ᵉʳ janvier. (Ent: 4,57 €, TR: 3,05 €). <<**Les bons génies de la vie domestique**>>. L'évolution des ustensiles de la vie domestique et des <<arts ménagers>>. Jusqu'au 22 janvier (Ent: 6,10 €, TR: 4,57 €). <<**Enchantez-nous, les coulisses d'une comédie musicale**>>. Une exposition-atelier pour les 6-12 ans. Jusqu'au 26 février. <<**Au-delà du spectacle**>>. Engagements et enjeux de la scène contemporaine. Jusqu'au 8 janvier. **Germaine Krull.** Rétrospective des œuvres de l'artiste provenant des archives conservées par le Museum Folkwang. Jusqu'au 5 février.

LOUVRE (musée du), Entrée Pyramide, Cour Napoléon, ou galerie du Carrousel, 99, rue de Rivoli (1ᵉʳ). Mᵒ Palais-Royal Rens: 01.40.20.51.51; 01.40.20.53.17 ou 3615 Louvre (0,20 €/mn). Ouvert tlj (sf Mar). **Ouvert le 31 décembre jsq 17h (caisses jsq 16h15). Fermé le 1ᵉʳ janvier. Collections permanentes:** de 9h à 18h (caisses jsq 17h15), nocturnes jusqu'à 21h45 (caisses jsq 21h15): Mer en totalité et Lun circuit court. **Fermeture des salles par alternance. Calendrier des salles fermées par tel, minitel ou internet. Nouveau tarif unique:** billet jumelé collections permanentes + expositions temporaires. Ent: 7,01 € (avant 15h), TR: 4,57 € (après 15h), gratuit: 1ᵉʳ Dim du mois et –18 ans, Chô, Gpes sco. Expositions du hall Napoléon, Ent: 3,81 €. Carte Louvre Jeunes (–26 ans): 14,24 €, val. 1 an (de septembre à septembre). Prévente: Fnac, Auchan, BHV, Carrefour, Continent, Extrapole, Galeries Lafayette, Hypermedia, Le Bon Marché, Le Printemps, Virgin Mégastore (Prix majoré de 0,91 €, entrée directe par passage Richelieu, 3615 Louvre et 0803.803.803 ou www.louvre.fr. **Audioguides:** français, anglais, allemand, japonais, espagnol et italien: 4,57 €. **Auditorium:** 01.40.20.51.86. **Chalcographie du Louvre.** Exposition: <<**Estampes d'après l'Antique**>>. Statues et bustes antiques des maisons royales gravées par Mellan et Baudet. Jusqu'au 15 janvier. **Nouvelles salles des arts d'Afrique, d'Asie, d'Océanie et des Amériques.** Entrée conseillée Porte des Lions. Expositions: <<**L'Albane, 1578-1660**>>. La première exposition consacrée à l'un des plus grands peintres de l'École de Bologne au XVIIᵉ siècle. (Aile Sully). Jusqu'au 8 janvier. <<**Heka-Magie et envoûtement dans l'Égypte ancienne**>>. Près de 250 objets révèlent les pratiques occultes et l'ésotérisme dans l'Égypte ancienne. (Aile Richelieu). Jusqu'au 8 janvier. <<**Deux mille ans de création... d'après l'Antique**>>. Près de 300 œuvres réunies, des plus grands maîtres jusqu'à la création contemporaine, témoignent de l'influence de l'Antiquité classique dans la création artistique occidentale. (Hall Napoléon). Jusqu'au 15 janvier.

ORSAY (musée d'), 1, rue de la Légion d'honneur (anciennement rue de Bellechasse), (7ᵉ), Mᵒ Solférino, RER Musée d'Orsay. 01.40.49.48.84. Rép.: 01.45.49.11.11. Minitel: 3615 Orsay (0,20 €/mn) Gpes: 01.45.49.45.46 / 01.45.49.16.15. Tlj (sf Lun) de 10h à 18h, Jeu jusqu'à 21h45. Dim de 9h à 18h. Vente des billets jusqu'à 17h30, Jeu jusqu'à 21h15. **Dim 31: fermeture à 17h.** Ent: 6,10 €; TR et Dim: 4,57 €; –18 ans et 1ᵉʳ Dim du mois: gratuit. **Carte blanche,** rens: 01.40.49.48.65. **Auditorium:** concerts, cinéma, cours, conférences. **Librairie spécialisée,** restaurant, cafétéria, salon de thé. Audioguides: français, anglais, allemand, espagnol, italien, japonais: 4,57 €. **Collections permanentes de la deuxième moitié du XIXᵉ et du début du XXᵉ siècle (1848-1914).** Expositions: <<**Manet, les natures mortes**>>. Une exposition réunit, pour la première fois, une sélection de peintures, dessins et gravures réalisés par le peintre sur un même thème, les natures mortes. Jusqu'au 7 janvier. <<**Nijinsky (1890-1950)**>>. Consacrée à ce danseur et chorégraphe de génie, l'exposition commémore le cinquantième anniversaire de sa disparition. Les œuvres présentées retracent le parcours du créateur du ballet <<Le Sacre du printemps>>. Jusqu'au 18 février. <<**M.K. Ciurlionis**>>. Pour la 1ᵉʳᵉ fois en France, l'œuvre peint du fondateur de l'art moderne lithuanien est présenté au Musée d'Orsay. Jusqu'au 4 février.

RODIN (musée), 77, rue de Varenne (7ᵉ). Mᵒ Varenne. Renseignements: 01.44.18.61.10. Tous les jours (sauf Lundi) de 9h30 à 16h45. Fermeture des caisses à 6h15. Fermeture du parc à 17h. **Fermeture exceptionnelle le 31 décembre à 15h45.** Entrée: 4,27 €. Tarif réduit: 2,74 €, gratuit: 1ᵉʳ Dim du mois et –18 ans. Parc: 0,76 €. Visites-conférences le Mar à 14h30. **Exposition permanente des œuvres du sculpteur Rodin.**